Álvaro de Laiglesia

FULANITA Y SUS MENGANOS

Editorial Planeta
Barcelona

© Alvaro de Laiglesia, 1965
Editorial Planeta, S. A., Calvet, 51-53, Barcelona (España)
Diseño colección de Hans Romberg
Cubierta: Ilustración Planeta (foto cedida por Minerva Films
    y montaje de Martínez Aránega)
Primera edición en Popular Planeta: enero de 1976
Depósito legal: B-426-1976
ISBN 84-320-2121-0
ISBN 84-320-5141-1 primera publicación
Printed in Spain - Impreso en España
Gráficas Román, S. A. - Casa Oliva, 82-88 – Barcelona (5)

A todas las infelices que nos hacen felices.

ÁLVARO DE LAIGLESIA.

La Humanidad es un montón de gente que se divide en dos grupos: mujeres y guarros.

Mapi.

PEDAZO PARA ABRIR BOCA

EN UN LUGAR DE LA MANCHA, de cuyo nombre no quiero acordarme, fui parida por mi madre.

Dicho esto, lo demás será coser y cantar. Porque para hacer un libro, lo único verdaderamente difícil es discurrir la primera frase que lo iniciará. Luego, todo es cuestión de ir añadiendo renglones, hasta rellenar las hojas en blanco que separan esta primera frase de la palabra «fin». Hablando mal y pronto: hay que echarle renglones al asunto. Y a mí, modestia aparte, renglones no me faltan por el motivo siguiente:

Si los amoríos de una señorita con un solo individuo permiten a muchos noveleros escribir un tomo gordo, ¿qué gordura podría tener el tomazo escrito por una fulana como yo, que tuve en mi vida tantos caballeros como para formar un escuadrón de caballería?

Calculo que el volumen sería más voluminoso que el librote en que me inspiré para escribir los dos tercios de la primera frase; y de cuyo nombre sí quiero acordarme, aunque en este momento lo he olvidado por completo. Pero supongo que algún empollón, de esos que se pasan la vida leyendo detrás de unas gafas, porque no tienen éxito con las mujeres, se acordará si le digo que empieza por «Don».

A mí me recomendó ese libro una chica que estuvo liada con un maestro de escuela importante, de los que llaman catedráticos, diciéndome que tenía mucho mérito.

Y la chica tenía razón.

A primera vista, cuando se lee, no se ve el mérito por ninguna parte. Pero en cuanto le dicen a una que el autor era manco, una se da cuenta de que sí lo tiene. Porque, ¡vaya si es meritorio escribir tantísimas hojas teniendo que coger el bolígrafo quizá con la boca, o quizá con un pie!

Bien puede perdonársele a un tío tan habilidoso,

9

capaz de hacer esa proeza caligráfica, que la novela sea un poco rollo. Porque yo, la verdad, encontré el argumento bastante sosaina. Y voy a explicar el motivo de que me pareciera sosaina, por dos razones:

La primera, porque los lectores tienen derecho a opinar de todo lo que lean, aunque no entiendan ni jota de escritura y confundan la gramática con la cosmética.

Y la segunda, porque en cuanto se hace un pinito literario y se entra en el gremio de las personas literatas, se sienten unas ganas tremendas de criticar a todos los colegas; a los antiguos, por muy mancos que fueran, y a los modernos, que tampoco son mancos.

Allá va, pues, mi opinión sobre la historia de ese conocido flaco manchego.

No hay ningún pasaje que sea *sexy*, ni una sola situación que tenga *suspense*. La cosa *sexy* se queda, como vulgarmente se dice no sé por qué, en agua de borrajas. Mucho hablar el protagonista de una pájara llamada Dulcinea, mucho fanfarronear de que en cuanto le ponga la vista encima no será sólo la vista lo que le ponga, y luego nada. En cuanto la pájara se pone a tiro, las cosas se le tuercen al flaco y el pobre no puede disparar: siempre surgen malandrines y follones que le chafan el plan.

Lo cual hace pensar al lector que tanto los malandrines como los follones son censores disfrazados, que se hacen llamar así para que no se les vea el plumero. Y quien dice el plumero, dice el lapicero con el que tachan todo lo que les parece procaz.

Puede que a esto se deba la sosería de esa novela en el aspecto sexual. De lo contrario, nadie se explica que el protagonista de un librote grueso, por muy flaco y debilitado que esté a causa de su deficiente nutrición en posadas y ventorros, aguante todo el argumento sin un solo desahogo amoroso. Es admisible que no llegue a acostarse con Dulcinea, si el autor ha decidido que esa cursi con nombre de confitería provinciana no sea una tía facilona. Pero al menos un besuqueo esporádico, o un achuchón de vez en cuando, o alguna metedura de mano...

Esta ausencia absoluta de la faceta *sexy* en un argumento tan largo, deshumaniza al personaje central y hace que resulte soso por falta de picante. Vamos, creo yo.

En cuanto al *suspense*, tampoco se le ve el pelo por ninguna parte, debido a que todas las aventuras que inventa el autor, terminan igual. Así, en cuanto el flaco medio chalado se mete en un jaleo, sabemos de antemano que acabará patas arriba, molido a golpes y con chichones como nueces.

Lo único que varía en cada ocasión es la forma en que le administran la consabida paliza, pues van zurrándole sucesivamente por el sistema del palo, la pedrada, el puntapié, el empujón, el puñetazo y el manteo.

Aunque al principio se disfruta horrores leyendo estos palizones, debido a que todos tenemos algo de bestias y nos retorcemos de risa cuando nos cuentan que alguien se retuerce de dolor, al tercer vapuleo del flaco manchego empezamos a aburrirnos. ¿A quién puede interesarle una novela de aventuras, como es ésta, si sabe de antemano que todos sus episodios terminarán igual?

Puede que la falta de *suspense* que se observa en esta obra, obedezca a que el *suspense* es un ingrediente de origen americano. Y como el libro de marras se escribió antiguamente, cuando América acababa de descubrirse y los indios eran unos analfabetos que aún no usaban las plumas para escribir, sino sólo para ponérselas en la cabeza... Casi me atrevería a asegurar que ésa es la razón de que la obra resulte monótona y un poco llorífera, aunque hay que reconocer que tiene algunos golpes para mondarse de risa. Vamos, creo yo.

Queda demostrado, por lo tanto, lo que yo quería demostrar: que la historia de ese delgadito tan chistoso, no tiene ni un pelo de *sexy*. Y de *suspense*, ¡ni pum!

Alguien dirá:

—Pero ¿por qué le interesa tanto a esta fulana echar por tierra un libro tan gordo, que no debe de ser ninguna tontería porque mandan que se lea por narices en todas las escuelas? ¿Por qué se empeña en demostrarnos que aquel manco tan mañoso no fue capaz de meterle al asunto picardía sexual ni repeluznos emotivos?

Y yo contesto:

—Pues muy sencillo, majos. Si la historia de aquel flaco manchego da tantísimo que hablar sin tener ingredientes tan importantes, ¡figúrense el revuelo que armará mi autogeografía!

(O como se llame el libro donde alguien cuenta su vida, pues no estoy segura de que ésa sea la palabreja exacta.)

Porque las cosas que a mí me han pasado y que voy

a contar, tienen *suspense* a porrillo y *sexy* para parar un tren. Y eso es lo bueno. Puede que algún tipo ducho en palabrería, de esos que cuando menean la lengua se la cogen con un papel de fumar, ponga reparos a mi lenguaje. Puede que llegue a decirme, inclusive, que reúno tan pocas condiciones para ser escritora como para ser monja. Y quizá tenga razón, porque yo, fuera de mi terreno profesional, manejo la lengua con bastante torpeza. Pero como los episodios que voy a contar tienen más substancia que un caldo de gallina, y se les puede sacar más jugo que a una naranja, al lector le importará un solemne rábano que el idioma empleado para contárselos no sea muy selecto.

Escribir bien lo necesitan esos escritores que no tienen nada que decir, porque el ropaje de una palabrería fina les sirve para disfrazar la estupidez de los hechos que relatan. Pero ¿qué necesidad tengo yo de saber cómo se hacen las metáforas, y la prosodia, y todas esas recetitas gramaticales, si cada parrafada que suelte está llena de acción trepidante?

PEDAZO PRIMERO

Esto mismo que dije en el pedazo anterior, se lo solté a mi amiga Nati cuando decidí escribir mis memorias a mano. Porque Nati, aunque trabaja como yo en el negociado masculino, es muy leída. Con decir que fue socia durante casi tres meses de una biblioteca circulante, está todo dicho. La tía se ha metido por los ojos una porrada de libros. No puedo calcular cuántos con exactitud, pero una barbaridad: por lo menos quince, y hasta puede que dieciséis.

—Me es imposible evitarlo, chica —me contesta cuando le digo que con tanto leer va a criar dioptrías como moscas—. La lectura es mi *jobi*.

—¿Tu qué? —pregunto yo, perpleja con la palabreja.

—*Jobi* —repite ella—. Es un vocablo que se ha puesto de moda, y que sirve para designar lo que hacen los americanos con más gusto.

—¿Y dices que a eso le llaman ahora *jobi*? —comento yo echándome a reír—. Pues hija, ¡qué finolis se están volviendo los tíos! Porque todos los americanos que yo he conocido, me dijeron sin rodeos que lo que hacían con más gusto empezaba también por «jo». Pero la otra sílaba no era «bi» precisamente.

—Es que no se trata de lo que tú estás pensando, cochina —me reprochaba Nati, haciendo un remilgo como una señora de verdad—. *Jobi* es lo que uno hace por afición, cuando no tiene nada que hacer. ¿Comprendes? Lo que antes se llamaba «el violín del Inglés». ¿Nunca oíste hablar de ese violín?

Y entonces va y me cuenta la historia de ese Inglés, que por lo visto no tocaba su instrumento para sacar cuartos, como hacen los pobres en las esquinas, sino para divertirse. Porque él era pintor; y cuando se hartaba de darle a la brocha, sacaba su *jobi* de la funda y dale que te pego.

He contado estos detalles para demostrar que Nati es bastante intelectuala, razón por la cual me sirvió de consejera cuando le expliqué mis intenciones de dar a conocer el cogollo de mi vida.

—Depende de lo que tú entiendas por cogollo —dijo ella, pues está convencida de que soy una descarada y me teme cuando decido abrir el pico para sincerarme.

—Yo entiendo por el cogollo toda mi juventud —expliqué yo—, que es el trozo más sabroso del pastel de la vida. Quiero contar sin tapujos todo lo que me pasó desde que empecé a trabajar con regularidad en el negociado masculino. Lo que un comediante llamaría el segundo acto de mi historia. Porque el primero fue mi infancia y mi adolescencia, desde que nací hasta que me enfurcié.

—¡Qué manera de hablar, hija! —se escandalizó Nati—. ¿En qué diccionario has leído tú el verbo «enfurciar»?

—En ninguno, porque lo he inventado y para sustituir precisamente al que traen los diccionarios. ¿Acaso no suena mucho más fino decir «me enfurcié» que «me prostituí»?

—Quizá —dijo Nati—. Pero no creas que, por inventarte unos cuantos dicharachos que suenen bien, te considerarán una escritora. Para escribir no basta con llenar de palabras trescientas páginas. Hay que decir cosas profundas, ¿comprendes?

—No, rica. Si no te aclaras...

—¿Cómo te lo explicaría? —se devanó Nati algunos sesos—. Escribir viene a ser como la pesca submarina: o te zambulles y buceas en las profundidades para pescar algo, o te quedas flotando en la superficie y no pescas nada. En este último caso los críticos te toman a choteo, y dicen despectivamente que todo lo que escribes es superficial.

—Pues si dicen eso de mí —salté yo— no me harán un desprecio, sino un elogio. Porque yo, en todo lo que escriba, trataré de ser exclusivamente superficial. ¿No te has dado cuenta, pedazo de grulla, que todo lo bonito que hay en el mundo está en la superficie de las cosas? Mírame a mí por ejemplo.

—¿Para qué?

—Observa el perfil de mi naricilla respingona, y el

gracioso movimiento ondulatorio de mi pelambrera teñida de rubio.

—No es para tanto, rica.

—Toca mi piel, cuya suavidad juvenil hace que la de los melocotones más tiernos parezca papel de lija.

—¡Vamos, anda! ¿Estás loca?

—Todos estos detalles, y algunos más que guardo bajo la ropa, hacen de mí una mercancía cotizada en el mercado masculino, ¿no es cierto?

—Bueno, sí —admitió Nati—. Tienes fama de ser algo carilla, y haces bien en sostener tus precios mientras puedas. Porque cuando cumplas mis años, tendrás que empezar a hacer «rebajas de otoño».

—Pues todos mis encantos —proseguí ya embalada, porque cuando cojo el hilo de una idea no paro hasta que se me acaba el carrete—, los tengo en la superficie. Si me quitas la cáscara para profundizar dentro de mí, sólo encontrarás porquerías: una calavera tan monda como lironda, igualita a esa que saca la Muerte en los retratos; y en la tripa, enrollados en forma parecida a esas mangas que usan los bomberos, unos cuantos metros de intestino; y detrás de ese amasijo intestinal (que llaman «paquete» no sé por qué, pues no creo que a nadie se le ocurra empaquetar esa guarrada), verás seguramente otros mondongos tan asquerositos como los que cuelgan en los ganchos de las casquerías. ¿Qué demuestra todo esto?

—No sé —dijo Nati, que había empezado a pintarse las uñas y no seguía con atención mi razonamiento.

—Demuestra —dije yo erre que erre— que lo bonito de la gente es su parte superficial, y que profundizando sólo se encuentran cosas feas.

—Pues ¡qué bien! —se encogió de hombros Nati.

—Este fenómeno no se observa sólo en la gente, sino en todas las cosas. En los cuadros, por ejemplo: quítale a un cuadro esa capa de pintura que tiene por encima, y te quedará solamente un cacho de tela blanca rodeado de cuatro tablones. Ráspale el barniz a cualquier imagen de cualquier iglesia, y en lugar de un santo tendrás un leño. Arráncale a una flor la hojarasca llamada pétalos que la recubre, y te encontrarás con un feísimo muñón en la punta de un palito.

—¿Has acabado ya?

—Todavía no: despójale a un hombre civilizado de esa

superficial buena educación que le tapa los instintos, y obtendrás un auténtico salvaje.

—Pero bueno, monina —se le hincharon las narices a Nati—. ¿Adónde diablos quieres ir a parar con esa cháchara tan larga?

—A demostrarte que ser superficial no es un defecto, sino una forma de ver el único aspecto agradable que tienen todas las cosas de este mundo. Porque, si te pones a profundizar, siempre descubres que las tripas son mucho más feas que la piel. Y si profundizas demasiado, todas las ilusiones que tenías se te vienen abajo: el amor, que al fin y al cabo sólo es un roce de tejidos pertenecientes a distinto sexo; y la religión, que resulta reconfortante cuando no se para uno a analizar esas historias como la del Arca de Noé, por ejemplo, que son de una belleza increíble... Por eso, si yo cuento por encima todas las cosas que me han pasado, resultarán mucho más atractivas que si me meto en honduras. ¿Qué te parece?

—Que a mí déjame de rollos, ¡puñeta! —opinó Nati, que por mi culpa, al cortarse un pellejo de un dedo, se había hecho daño—. Si te divierte volcar en unos papeles todas las guarrerías que has hecho en tu vida, allá tú. Pero no cuentes conmigo para leerlas.

—¿Por qué no? —me ofendí.

—Porque tu vida, y la mía, y la de todas las chicas que vivimos de sacarle el jugo al hombre, es un tema lleno de suciedad. Y nuestras aventuras no son para conservarlas en el estante de una biblioteca, sino para tirarlas al cubo de la basura.

Esta opinión de Nati, dura como un cañonazo, no logró chafarme el entusiasmo.

—Te equivocas —salté como una pantera—. Si el mundo en que vivimos nos obligó a vivir así, él tiene también la obligación de conocer la vida que nos impuso. Porque ni tú, ni yo, ni ninguna de nosotras, elegimos esta profesión por gusto.

—¡Claro que no! ¿Y qué?

—Que si alguien tiene que avergonzarse de nuestras guarrerías no somos nosotras precisamente, sino los guarros que nos obligaron a hacerlas. Que se traguen ellos también, por lo tanto, la parte que les corresponde de la mierda que nos cubre.

Dije esto con tanta furia, que hasta Nati se asustó. Y dejándola plantada con dos palmos de narices, me fui a mi casa para empezar a escribir. Mis ojos brillaban de tal modo, que no parecía que iba a coger una pluma, sino a empuñar una navaja.

PEDAZO 2

Hace ya bastantes años que trabajo en este sindicato, que no es precisamente vertical, sino más bien horizontal.

Después de mi *debú*, como dicen los franchutes, tardé algún tiempo en hacerme profesional. No puedo decir que «debuté» como aficionada, porque afición a este trabajo no la tiene casi ninguna del gremio. Hasta las más viciosas, que empiezan por gusto, terminan por sentirse tan asqueadas como las que empezamos por necesidad.

Dándome unas fuertes palmadas en la frente para despabilar mi memoria, pues la muy gandula remolonea cuando la estrujo para que eche fuera los recuerdos que guarda, he podido reconstruir con exactitud mis ya algo lejanos tiempos de «debutante». O dicho sea con más claridad, por si alguien no entiende el gabacho, de «deputante». Así sabrá todo el mundo lo que quiero decir. Vamos, creo yo.

Como el dinero que me produjo mi primer cliente se me fue en pagar los atrasos que tenía en la pensión y en teñirme el pelo de rubio, tuve que salir pocas noches después a la caza de un nuevo cabrito. Y como no tenía ropa fina para alternar en sitios elegantes, fui de nuevo al cabaretucho moruno cuyo nombre suena un poco a palabrota:

¡«Larache»!

Era la primera noche de calor. El verano había caído de pronto sobre Madrid, como una manta muy gorda sobre un durmiente. Los porteros de todas las casas habían sacado sus sillas a la calle y entorpecían el tránsito en las aceras estrechas.

Un tipo se me arrimó para decirme unas cuantas burradas. Pero yo, al ver que iba vestido con un «mono» azul, propio de los económicamente débiles, le dije que no podía perder el tiempo con un pelagatos y le mandé muy finamente a hacer algunas gárgaras. No muchas, porque no me gusta ser grosera con la gente modesta.

En «Larache» había ambiente. Quiero decir con esto que casi no se podía respirar a causa del numeroso personal que acudió aquella noche. Los hombres se hacinaban en la barra como una piara de cerdos en el abrevadero, pidiendo a gritos que les echaran de beber.

Flotaba en el aire un olorcillo ácido, a sobaco no fregado concienzudamente, que prevalecía sobre otros olores no muy gratos tampoco a las narices: el de la humareda ya rancia de los cigarros y el de los perfumes a granel que usaban las chicas para encandilar a los machos.

Unos ventiladores removían perezosamente aquella atmósfera espesa, sin conseguir refrescarla. La orquesta trataba de perforar el barullo con una pieza movidita, pero sólo se oía el parcheo del bombo y el gritito amariconado de un cornetín.

—Si vienes a sentarte conmigo —me dijo una tía metida en carnes y en fajas—, te invito a un café con torrija.

Me escamó la invitación, porque yo no conocía de nada a aquella gorda. Pensé que a lo mejor era una rara mentalidad invertida, de esas que se dedican a dar la vuelta a la tortilla. Pero ella me tranquilizó echándose a reír y enseñándome en la risa dos muelas de oro:

—No tengas miedo, monada. También yo vengo aquí a lo mismo que tú, sólo que con menos éxito porque ya soy veterana. Por eso necesito que algún guayabo se siente conmigo y me sirva de gancho. ¿Comprendes?

—No —confesé, pues entonces yo era novata y desconocía las martingalas del oficio.

—Siéntate y te lo explicaré mientras te comes la torrija.

Me senté con ella, en parte por no desairarla, y en parte también porque aún me quedaban unas migajas de timidez y prefería no estar sola en aquel ambiente.

—¡Anselmo! —gritó a un camarero la tía metida en carnes y en fajas—. ¡Dos con leche y dos torrijas!

Estas consumiciones bastarán para comprender el tipo de local que era el «Larache». Pero a mí, que en lujos cabareteros no había pasado de la sidra achampanada, aquel piscolabis me pareció de lo más fino. Y mientras yo me zampaba la torrija haciendo muchos dengues, cortándola en cachitos con cuchillo y tenedor como si fuera un señor filete, mi nueva compañera me dio una lección de «ligue»:

—Cuando llegues a cierta edad y a ciertos kilos —dijo—, necesitarás buscarte un cebo para poder ligar. A mí sola, como puedes suponer, no es probable que se me acerque nadie. Pero a ti, en cambio, que eres jovencilla y delgadita, se acercará más de uno. Y como los hombres casi nunca vienen solos a estos sitios, sino con algún amigo, yo ligaré con el que te sobre a ti. Porque en cuanto una pareja de tíos se arrime a nosotras y se meta en juerga, los dos querrán echar su cana al aire. Y el que no la eche contigo, cargará conmigo.

Dicho esto, la carnosa prosiguió su palique contándome que su verdadero nombre era Dolores; pero como lo encontraba poco comercial para la vida alegre, se quitó el Dolores y se puso un «Jerónimo». A mí, la verdad, me pareció un poco raro que una señora tan gruesa y tetuda se pusiera un nombre de señor con toda la barba. Pero ella me lo aclaró con grandes risotadas:

—No, chica. Ponerme un «jerónimo» no significa que ahora me llame así, sino que me he puesto un nombre falso. Como hacen los escritores, ¿entiendes?

(Hace poco he sabido que a esos nombres inventados no se les llama «jerónimos», como decía Dolores, sino «seudónimos». Pero como no sé dónde vivirá ahora esa fulana, suponiendo que viva todavía, no puedo ir a sacarla de su error.)

El «jerónimo» que se había puesto la gorda para paliar aquellos «Dolores» tan poco afrodisíacos, resultaba excitante y le iba muy bien a su abundancia de carnes: se hacía llamar Encarnación.

Y sus pronósticos se cumplieron, porque en cuanto terminamos de comernos las torrijas se nos acercaron dos tíos.

—¿Podemos sentarnos con vosotras, muñecas? —preguntaron, mirándome a mí.

—Si pagáis lo que ya hemos consumido y nos invitáis

a una nueva consumición... —entabló negociaciones la carnosa.

Antes de decidirse, los fulanos quisieron saber qué habíamos tomado hasta entonces. Se notaba que no eran novatos en eso de cabaretear: no querían correr el riesgo de que hubiéramos cenado allí y les hiciéramos pagar nuestra cena completa. Sólo cuando «Encarnación» les juró que nuestros excesos gastronómicos se reducían a dos cafetitos con sendas torrijas, se sentaron y nos dijeron:

—¿Qué queréis beber, muñecas?

Con ese piropo cabaretero, que colaban en su charla a cada paso, pretendían hacerse pasar por tipos mundanos habituados a ese ambiente. Pero bastaba mirarles los dedos para advertir en sus anulares la marca de la alianza que acababan de quitarse para salir de pendoneo. Eran en realidad unos honrados padres de familia, que aprovechaban las vacaciones de sus esposas e hijos para hacer algunas picardías. Los clásicos «Rodríguez», que en cuanto se toman con una fulana tres copas de más, sacan la cartera y... le enseñan las fotos de sus niños.

Encarnación propuso que tomáramos champán y queso. Pero los muy ahorrativos, al hacer el pedido al camarero, suprimieron el queso. Menos mal que no cambiaron el champán por sidra.

Aunque los dos se sentaron con nosotras atraídos por mi palmito, como la tetuda había previsto, acabaron por dedicarse uno a mí y el otro a mi compañera. Esta decisión la tomaron después de luchar sordamente para conquistar mi simpatía. En la lucha derrocharon su pobre ingenio de burgueses ya barrigones, hecho de chistes verdes tan viejos que su verdura estaba ya amarillenta.

Ganó por fin el más calvo de los dos, por tener un repertorio de chocarrerías chistosas más extenso. Debía de tener también más dinero que el otro, pues él fue quien pagó al final las tres botellas de champán que nos tragamos. Me dijo que se llamaba Vicente, pero supongo que sería un «jerónimo» como el que usaba Dolores.

(De las nomenclaturas que dan los «Rodríguez», no puede una fiarse. Ni siquiera cuando te dan una tarjeta. Nunca es la suya sino la de algún otro señor, de esas que se tienen siempre en la cartera. Recuerdo que hace tiempo, en verano también, un fulano me dio una tarjeta en la que ponía: «Fray Juan de Dios Alvear. Misionero». Y aunque yo sé que los misioneros son muy valientes y se meten a predicar hasta en la boca del lobo, me consta que no se han metido todavía en las madrigueras de las zorras.)

El que decía llamarse Vicente era simpático, pero rechoncho. Tenía el cuello tan corto, que para enseñar el nudo de la corbata tendría que haberse sujetado la papada con un braguero. Sus mejillas estaban cubiertas por una red de venitas rojas, como los mapas de los países que tienen muchas carreteras. Y por último sus ojos eran tan saltones, que daban ganas de poner un plato debajo porque parecía que iban a saltar de un momento a otro. Para abreviar: era feo a base de bien.

A la sexta copa, el feorro se me puso sentimental. Pero no me enseñó la foto de sus niños, como suelen hacer todos los adúlteros veraniegos, porque no tenía niños.

—Pero no por culpa mía —aclaró, temeroso de que yo pusiera en duda su virilidad—, sino de mi mujer. Tuvo siempre la matriz torcida.

Hablaba de esas cosas con frivolidad, como si tener la matriz torcida fuera tan poco importante como llevar puesta una boina ladeada.

La del «jerónimo», mientras tanto, trataba de seducir al otro arrimándole todo el cargamento de carnaza que sostenían sus costillares. Pero el otro retrocedía con cierta repugnancia, como si en vez de dos pechos de mujer se le arrimaran dos jorobas de camello.

—Vamos, cobardón —le decía ella sin dejar de achucharle—. Si me das trescientas, trato hecho.

El amigo de Vicente era tímido. Y el alcohol, en vez de darle audacia, le ponía mohíno.

—Pero ¿qué te pasa, Gómez? —le animó su compañero de juego—. ¡Vamos, hay que divertirse!

Y Gómez, arrimándose a la oreja de Vicente, le susurró:

—Es que a mí esta gorda me recuerda a mi mujer. Y la verdad, chico: salir de Málaga para meterme en Malagón...

—Pero si ésta es una gorda muy maja... —le doró la píldora Vicente.

—Si te gusta —propuso el otro—, ¿por qué no me la cambias?

—¡Ni hablar! —se opuso mi rechoncho, que ya estaba embaladísimo conmigo porque me había tocado dos veces un muslo.

Encarnación, que no estaba dispuesta a perder aquel partido, volvió al ataque con toda su delantera. Y Gómez, a fuerza de achuchones, fue claudicando.

El calor en la sala era sofocante. A un cliente que pidió un pedazo de hielo, el camarero sólo pudo servirle un chorrito de agua. A mí, que me había puesto un jersey de lana por no tener blusas de verano, me habían salido en los sobacos medias lunas de sudor, oscuras y húmedas. Los músicos de la orquesta, con sus uniformes rojos, parecían demonios tocando en el corazón del infierno. Como su repertorio era escaso, repitieron varias veces su pieza predilecta: «Se va el caimán». Y cuando empezaron a tocarla por quinta vez, Vicente me propuso:

—¿Y si, siguiendo el ejemplo de ese caimán, nos fuéramos nosotros también?

—¿Adónde? —pregunté yo, que tenía que pagar algunas cosas al día siguiente y no quería perder la noche haciendo turismo gratuito.

—A algún sitio donde podamos estar frescos y tranquilos —insinuó el picarón, haciendo una seña al camarero para que le trajera la cuenta.

Y mientras el camarero se la traía, observé que la falsa Encarnación había hecho progresos definitivos en la conquista de Gómez.

—¡Mi faraona! —le dijo él, apoyando una mejilla en la confortable blandura de su región pectoral—. Puedo llamarte así, porque estoy convencido de que desciendes directamente de un faraón.

—¿De cuál? —bromeó la gruesa.

—Con unos pechos tan prodigiosos como los tuyos —piropeó Gómez—, sólo puedes descender de uno: ¡de «Tetankamen»!

PEDAZO 3

En la calle hacía el mismo calor que en la sala, pero un poco más limpio. Una gitana trató de vendernos cuatro claveles pochos, que a juzgar por su pochez debían de ser los mismos que me ofreció a mí cuando estuve en el «Larache» la primera noche.

—Las flores no son sanas porque producen alergia. Y a lo mejor se te hincha la cara, o te pones a estornudar —razonó Vicente, para ahorrarse los dos duros que pedía la vendedora.

Tres serenos, a la puerta de una taberna, comentaban lo dura que era su profesión.

—¡No paramos! —decían—. ¡Siempre corriendo de un lado para otro!

Cuando sonaban palmas en las calles próximas, volvían un momento la cabeza para gritar:

—¡Vaaaa!

Y seguían charlando sin moverse del sitio.

Vicente iba a mi lado, secándose el sudor de la cara con un pañuelo mayor que su cabeza. De pie era algo más bajito que yo, y le sobresalía una tripada que sentado no se le notaba. Pero al menos demostró tener educación, pues casi no me había metido mano desde que estábamos juntos.

Andamos (o anduvimos, no estoy muy segura) hasta la primera esquina sin que el tío se aclarase. Yo era entonces una principianta, y me faltaba el descaro que ahora tengo para sacar a relucir la cuestión económica. Porque este trabajo, al fin y al cabo, es un servicio público. Y en todo servicio público, el usuario debe conocer de antemano la tarifa, para que luego no proteste a la hora de pagar. Nosotras, como somos muy femeninas, adornamos este feo nombre de «tarifa» y la llamamos «regalito». Pero en realidad es una tarifa tan rígida y fija como la del taxi, el tranvía y el autobús.

—¿Qué hacemos? —dije al rechoncho, para ver si se aclaraba.

—Si te parece —propuso él—, podríamos pasar un rato juntos.

—Hombre, eso depende —entré en materia yo—. Si me haces un buen regalito...

—Desde luego —prometió él—. Pero te lo compraré mañana. Como ahora las tiendas están cerradas...

—Déjate de bromas —gruñí—, o me voy a mi casa ahora mismo.

—Bueno, rica, no te enfades. Te daré el dinero y tú misma podrás comprarte lo que quieras.

—¿Cuánto piensas darme?

Vicente, después de hacer unos cálculos mentales, concretó:

—Trescientas setenta y cinco pesetas.

—Es poco —rechacé yo.

—Menos da una piedra.

—Por eso mismo no me he dedicado a acostarme con las piedras —añadí—. Además, trescientas setenta y cinco me parece una cantidad rara.

—¿Por qué?

—¡Qué sé yo! Estas cosas suelen tratarse en números redondos: trescientas, quinientas, mil...

—Es que en «Larache», entre las tres botellas de champán, vuestros cafés con torrijas y la propina al camarero, pagué seiscientas veinticinco pesetas. Y no quiero que la juerga de esta noche, todo comprendido, me cueste más de mil justas.

—Pues, hijo —le solté yo—, si en ese «todo» pretendes incluirme a mí también, tendrás que ampliar el presupuesto. Porque yo, menos de quinientas, ni hablar del peluquín.

—¡Qué barbaridad! —se escandalizó Vicente—. ¡Cómo está subiendo la vida sexual!

El tío tuvo unos momentos de vacilación. Pero como ya estaba excitado, acabó por aceptar la tarifa.

—Está bien —soltó al fin—. ¿Podemos ir a tu casa?

—No. Vivo en una pensión, y no puedo recibir visitas en mi cuarto. Pero podemos ir a la tuya.

—¿A mi casa? —se aterró él—. ¿Te has vuelto loca?

Aunque mi mujer está fuera, si alguien nos viese y ella se enterara...

—¿Tanto miedo le tienes? —le piqué el amor propio.

—Cerval —dijo él, que no se picó, pero palideció—. No sé por qué será, pero nunca he conocido una mujer con peor carácter que el suyo.

—Quizá sea —la disculpé yo— porque tiene la matriz atravesada.

—Puede que eso influya —admitió él—. Pero no te preocupes: iremos a un sitio que tengo yo para estos casos, donde nadie podrá vernos ni molestarnos.

Fuimos andando hasta la Gran Vía, asediados por pequeños industriales que nos ofrecían sus productos. Dicho así suena muy bien, ¿verdad? Pero en realidad no eran «pequeños industriales que nos ofrecían sus productos», sino pobres por las buenas que nos pedían limosna. Pero como aquel año el Gobierno había dicho que en España no existía la mendicidad, los pobres no tuvieron más remedio que industrializarse para seguir ejerciendo su oficio. Gracias a lo cual, podían seguir molestando a los peatones sin que los guardias les molestaran a ellos. Porque teóricamente no es lo mismo incordiar pidiendo «una limosnita por el amor de Dios», que ofreciendo «un don Nicanor tocando el tambor».

Cosas de la hipocresía humana, pues prácticamente las molestias que ocasiona el segundo pedigüeño son mayores: encima de perseguir el mismo objetivo que el pobre (sacarnos unas perras para aliviar su pobreza), nos obliga a cargar con una pijadita que no nos sirve para nada.

Yo, la verdad, prefiero el pobre-pobre que acepta y agradece la calderilla que se le da, al pobre-industrializado que nos hace comprarle una marranada por siete cincuenta.

Pero vuelvo a mi historia, porque siempre me pasa lo mismo: pierdo el hilo principal, y me enredo en una madeja de observaciones secundarias. Pido perdón y continúo.

Cuando llegamos a la Gran Vía, Vicente me llevó hasta la puerta de un gran edificio para oficinas que hay cerca de la Plaza del Callao. No llega a ser un «rascacielos», pero puede decirse que es un «rascanubes».

—Hemos llegado —dijo él, abriendo el portal con un

llavín que sacó del bolsillo.

A mí me pareció un poco raro aquel sitio para un «picadero», pero no hice ningún comentario. Ya se sabe que todos los hombres casados procuran esconder sus *garsoniers* en sitios discretos. Y cuando los maridos tienen miedo a sus esposas, como Vicente por ejemplo, exageran la discreción hasta límites inconcebibles.

(Nati me contó que un querido suyo, dueño de un negocio de mudanzas, había montado su *garsonier* dentro de uno de sus *capitonés* para transportar muebles. Allí tenía una cama, un bar y un tocadiscos. Y cuando quería ver a Nati, decía a su mujer que salía a dirigir una mudanza. Montaba en el «capitoné-picadero», y se iba en él a recoger a Nati. Y en cuanto Nati veía que aquel camión de mudanzas aparcaba a la puerta de su pensión, bajaba a reunirse con su querido dentro del *capitoné*. Allí bebían, bailaban y hacían el amor.

Otro marido discretísimo, que estuvo liado con otra amiga mía y era jefe de estación en un pueblo importante, instaló la alcoba clandestina para sus *rendevús* amorosos en un viejo vagón de ganado que había en una vía muerta.)

Por eso yo no dije nada cuando Vicente me metió en un ascensor de aquel edificio destinado a oficinas y subimos al piso octavo.

En el piso había un pasillo muy ancho, con muchas puertas a derecha e izquierda. La mitad superior de aquellas puertas era de cristal esmerilado, y todas ellas estaban numeradas. Debajo de los números había unas letras bastante gordas, con el nombre de la sociedad o del negocio que tenía alquilado el despacho.

Recorrimos el pasillo hasta la puerta número 836, ante la cual el rechoncho se detuvo a abrirla con la llave correspondiente. Sobre el cristal esmerilado, como en todas las puertas restantes, había un letrero. Decía no sé qué de «Exportación e importación», y acababa con las letras «S. A.»

—Pasa —me invitó Vicente, encendiendo la luz.

Al pasar no me encontré en el «picadero» que yo esperaba, con su cama, su bar y su tocadiscos, sino en una oficina con su mesa, su archivador y su máquina de escribir.

Aquél no era ni mucho menos el saloncito lujurioso

de un don Juan conquistador, sino el despachito laborioso de un don Vicente trabajador. La mesa estaba cubierta de papelotes muy serios, de esos que se emplean para hacer negocios importantes. Recuerdo que en la pared había un calendario cuya estampita no tenía una señora medio en cueros, como suelen tener los calendarios en general, sino una maquinaria grasienta, de esas que se instalan dentro de las fábricas para que hagan mucho ruido y se entretengan los obreros.

—Siéntate —me invitó Vicente, señalándome una de las cuatro sillas que completaban el mobiliario del despacho.

Yo me senté en el borde de una de aquellas sillas, que eran serias y oscuras como frailes.

—¿Qué te parece el sitio? —me preguntó el rechoncho poniendo en marcha un ventilador que había en la pared, colocado en una repisa como si fuera la imagen de un santo.

—Pues la verdad, hijo —me sinceré yo—; que será muy cómodo para casi todos los negocios, pero no para el que nos ha traído aquí. Si al menos hubiera un sofá...

—Hace dos años quise poner uno, pero mi mujer me lo prohibió. Es muy celosa y dice que los sofás, en las oficinas, sólo sirven para revolcarse en ellos con las secretarias. Suprimiendo el sofá, se suprime también la tentación.

—Pues la verdad, hijo —repetí yo, porque ésta es mi muletilla predilecta y la repito mucho en mis conversaciones con los tíos—; en el suelo, ni hablar.

—No te preocupes —me tranquilizó él, guiñándome un ojo—: eso lo tengo resuelto.

Y dirigiéndose al archivador, que era un armatoste que ocupaba casi toda una pared, abrió el último cajón correspondiente a la letra «Z». Dentro de este cajón no había fichas, ni cartas, sino un bulto colorado bastante voluminoso atado con una cuerda.

—Aquí está la solución —dijo Vicente, sacando el bulto y deshaciendo el nudo de la cuerda.

—¿Qué es eso? —pregunté yo, extrañada.

—Una colchoneta de goma —me explicó él—. Se hincha y queda comodísima.

Extendió en el suelo la colchoneta, que sin aire no abultaba casi nada, y se sentó junto a ella. Luego agarró un pitorro que tenía la goma en una esquina, se lo metió en la boca, y se puso a soplar como un desesperado. Las venas del cuello se le hincharon, mientras la papada se le fue poniendo tan roja como la colchoneta que estaba inflando. A mí me entró la risa, porque el tiparraco estaba de lo más cómico.

—No te rías —gruñó él quitándose el pitorro de la boca y apretándolo con fuerza para que no se saliera el aire—. En vez de burlarte, podrías ayudarme.

—¿Quieres que sople yo también? ¡Ni hablar, rico! Yo soy una mujer y no una bomba de aire. ¿Tienes algo de beber? Porque calculo que tardarás casi una hora en poner la colchoneta a presión.

—En el archivador hay bebidas —me indicó Vicente—. Abre el cajón de la «Y».

Lo abrí y estaba lleno de botellas. Mientras sacaba una ginebra, me explicó:

—Como en ese cajón no se archiva ninguna carta, porque hay poquísimos apellidos que empiecen por «Y», lo utilizo como bar.

No puede negarse que el tío era tan astuto como discreto. ¿Quién podía sospechar que aquella oficina tan austera, gracias a su astucia, podía transformarse en *garsonier* en un periquete? Bueno, en un periquete un poco largo; porque en hinchar la colchoneta a base de echarle pulmones al asunto, se tardaban casi cincuenta minutos. Pero el que algo quiere, algo le cuesta.

Mientras Vicente soplaba yo «soplé» también, aunque en otro sentido: me bebí un tercio de la botella de ginebra, con lo cual me puse contentísima.

Al fin, a las tres de la madrugada la cama quedó lista. Pero entonces ocurrió un fenómeno curioso: que la colchoneta estaba inflada, pero el rechoncho en cambio quedó completamente desinflado. Un fenómeno parecido al de los vasos comunicantes: que mientras uno se llena, el otro se vacía a través de la gomita. Vicente, después de trabajar tanto rato como compresor, quedó jadeante y en pésimas condiciones para realizar cualquier otra clase de esfuerzo.

Pero como yo no estaba dispuesta a largarme de allí sin cobrar mis honorarios, le hice descansar un poco y echar unos cuantos tragos para reponer los líquidos que perdió sudando. También me arrimé a él con el fin de que pudiera palparme a su antojo. Gracias a lo cual, poquito a poco, logré que fuera entusiasmándose de nuevo. Y a las cuatro menos veinte, me anunció que estaba dispuesto a todo.

—Apaga la luz —le dije, empezando a quitarme el jersey.

A oscuras continué aligerándome de ropa, hasta quedarme únicamente con las prendas interiores precursoras del «bikini»: el llamado *sutián*, y los llamados *culot*.

Así me tumbé en la colchoneta, cuya superficie era pegajosa y olía a neumático. Vicente, mientras tanto, daba bufidos en las tinieblas mientras iba despojándose de sus paños mayores para quedarse en los menores.

Cuando terminó su *striptís*, que tuve la suerte de no presenciar, le hice sitio para que se tumbara a mi lado. Y cuando se tumbó pesadamente, porque los rechonchos suelen ser torpones como elefantes, oímos un ruido muy raro: una especie de «¡píf!», seguido de un silbidito agudo y penetrante.

—¿Qué es eso? —pregunté, incorporándome extrañada.

—No sé —dijo Vicente, tendiendo la oreja para escuchar.

El silbido seguía oyéndose con intensidad creciente, y empecé a notar que la colchoneta se ablandaba con bastante rapidez.

—¡Maldita sea! —gruñó Vicente, levantándose de mala gana.

—¿Qué ocurre? —dije yo.

—Me parece que hemos pinchado.

—¡Vaya, hombre! —exclamé contrariada—. Ahora que empezabas a embalarte, se fastidió el asunto.

El bajó de la colchoneta a encender la luz, tan iracundo como el automovilista baja del coche para ver dónde diablos tiene la avería. Con aquella pinta, en calzoncillos y camiseta de algodón, parecía uno de esos turistas baratos que llenan nuestras carreteras en verano.

—Pues sí, es un pinchazo —confirmó después de comprobar que el pitorro estaba bien cerrado.

—Claro —le reproché yo—. Como estás tan llenito...

Me mostré fina en el reproche, porque la verdad es que con aquella vestimenta tan somera se le veían más grasas que a un gorrino bien cebado. Sólo una colchoneta blindada habría sido capaz de resistir el peso de los dos, teniendo en cuenta que él pesaba el triple que yo.

—Ni llenito, ni gaitas —se enfurruñó él—. Lo que pasa es que la colchoneta es de fabricación nacional, y ya sabes la poca conciencia que tiene nuestra industria.

Mientras tanto, todo el aire se había escapado por el agujerito de la goma; en realidad no era un pinchazo, sino un reventón.

El pobre Vicente, entre el cansancio de hinchar la colchoneta y el disgusto de que se hubiera deshinchado, se quedó hecho polvo.

—¿Qué hacemos ahora? —suspiró mirando aquel cacho de goma, que se había quedado arrugada y fláccida.

—¿Tienes parches? —le pregunté.

—No. ¿Crees que iba a montar aquí una estación de servicio completa para una sola colchoneta?

—En ese caso, si no tienes parches, no hay nada que hacer —dije, empezando a vestirme.

El tío no protestó, porque ya digo que estaba cansado de luchar contra la adversidad. Hizo un rollo con la colchoneta pinchada para guardarla en el cajón del archivador, y se vistió bastante mohíno.

Algo remolón estuvo para pagarme las quinientas que habíamos estipulado.

—¿No podrías hacerme una rebaja? —me propuso—. Puesto que no hemos hecho nada...

—Pero no fue culpa mía —rebatí—, porque vine dispuesta a todo. Y no es justo que pierda yo la noche por un accidente.

Al fin se rascó el bolsillo, y salimos de la oficina después de borrar todas las huellas de nuestra «juerga».

—La próxima vez —le aconsejé—, compra una bomba de bicicleta y una caja de parches.

PEDAZO 4

AQUEL PRIMER VERANO en que empecé a trabajar como profesional, no se me dio todo lo bien que yo esperaba. El «Rodríguez» madrileño suele ser un tipo de mucho ruido y pocas nueces. Cuando se le conoce, se llega a las siguientes conclusiones:

Alborota mucho cuando toma copas con sus amigotes, pero gasta poco.

Es de los que, cuando tienen el vaso mediado, lo vuelven a llenar con sifón para que les dure más.

En los «cabarés» que frecuenta, es más bien mirón que hombre de acción.

Cuando el camarero presenta la cuenta a una mesa ocupada por «rodrígueces», todos ellos tiran de pluma y se pasan diez minutos haciendo divisiones para ver cuánto le toca pagar a cada uno. Porque en realidad disponen de poco numerario, y ésa es la razón de que tengan que quedarse trabajando en Madrid.

Son, dicho mal y pronto, unos peseteros. Y unos optimistas también, pues siempre esperan encontrar una aventura que no les cueste ni cinco. Olvidan los infelices que ya no tienen edad ni físico de conquista, y se acicalan antes de salir para ver si pica alguna. Se echan agua de Colonia, se peinan sus cuatro pelajos con mucho fijador... Y cuando una fulana les sonríe con miras al descorche, piensan muy ufanos: «A ésa ya la tengo en el bote».

Y se dedican a guiñarle un ojo, a ponerle caritas y a otras ridiculeces.

Pero ¿es que los condenados no tienen un espejo? ¿No se dan cuenta de que con esas barrigonas y esas cabezotas peladas podrían ser los padres e incluso los abuelos de cualquier moza? ¿Tan ingenuos son que no ven que nuestras miradas no van dirigidas a sus corazones, sino a sus carteras?

Muchos de estos infelices creen que cuando una chica les acepta una copa en su mesa, se la llevarán sin más trámites de la mesa a la cama.

Creen también que cuando la chica les dice: «Espérame a la salida», la chica acudirá a la cita. Y los muy botarates, cuando cierran el «cabaré», se quedan de plantón en la calle esperando que salga su «conquista». Porque los muy berzotas no saben que todos los «cabarés» se construyen con una puerta secreta, para que por ella puedan escaparse las empleadas del descorche que no obtuvieron condiciones ventajosas para hacer una chapuza a la salida.

Aparte de aquel Vicente, que no pudo echar su cana al aire por avería en el colchón, sólo conseguí ligar con otro «Rodríguez»: un flaquirucho con bigote y vista cansada, que para verme de cerca cuando estábamos en la cama tuvo que ponerse las gafas. Sospecho que el pobre hombre había estado ahorrando todo el año para costearse aquella aventurita veraniega; porque me pagó en billetes pequeños y moneda fraccionaria, como si acabara de romper una hucha para sacar aquella cantidad.

Otros casados que tenían a la parienta triscando por los montes de la sierra, me invitaron a beber, pero no a dormir. ¡Cochinos peseteros, que me hicieron desperdiciar muchas noches a base de palique gratuito!

«¡Mal rayo les parta!», los maldije alguna vez para mis adentros.

Pero luego me arrepentí pensando: «No hace falta que les eche esa maldición, pues el mal rayo lo tienen ya en casa en forma de esposa. Y los partirá en cuanto acabe el veraneo».

El «ligue» mejor de aquel trimestre tan caluroso, me lo proporcionó mi antigua amiga Tere. Yo había dejado de verla desde que el encargado de la peluquería donde trabajaba como manicura, le puso un piso en el Barrio de los Líos. Y me la topé una noche en «Larache». Al principio no la reconocí, porque desde que el encargado la retiró se había puesto más gorda y más lustrosa. Pero fijándome bien en su escote, vi la verruga sonrosada que tenía en el arranque del pecho izquierdo. Y entonces le grité como una energúmena:

—¡Tere!

Ella volvió la cabeza y me devolvió el grito:

—Pero ¡si es Mapi, coña!

Nos abrazamos y nos dimos dos besitos tontorrones, de esos que las mujeres se dan en el aire a ambos lados de la cara para no estropearse el maquillaje.

—¡Cómo has engordado, leñe! —la piropeé—. A este paso, vas a ser más jamona que una cerda.

—También tú estás de buen año —correspondió ella, halagada.

Y volviéndose a los dos individuos que la acompañaban, añadió muy finamente:

—Es una antigua compañera de estudios. Estuvimos juntas en el mismo pensionado.

«¡Hay que ver cuánto se aprende echándose un querido rico! —pensé llena de admiración—. ¡Menudo lenguaje selecto usa ahora la Tere! Llama "pensionado" a la pensión de mala muerte en la que compartimos hace algún tiempo la habitación; y "estudios" a las lecciones de cortar pellejos que me dio, para colocarme de manicura en su peluquería.»

Porque antes de que ella se echara el amante fijo, y de que yo me echara a la calle, éramos dos pobres chicas que luchábamos para ganarnos el pan con el sudor del flequillo. Hasta que nos hartamos de tener siempre el flequillo mojado y el estómago vacío.

Con desparpajo de señora finolis, Tere me presentó a sus acompañantes. El más corpulento, un tiarrón que sobrepasaba el metro ochenta, era su querido, lo que en «argó» suele llamarse «caballo blanco», nombre que a él le iba muy bien por ser grandote y paliducho. El otro, de humanidad más reducida, era un amigo de la pareja.

—Anda, Tinito —dijo Tere al terminar las presentaciones—: ocúpate de buscarnos una mesa.

Pensé que aquel motecillo ridículo iba dirigido al amiguete más menudo, pero me sorprendí al ver que quien se movilizaba para buscar la mesa era el grandullón. ¡Hay que ver cómo cretiniza la pasión sexual a los sujetos más viriles!

—¿Quieres sentarte con nosotros? —me invitó la ex manicura, poniéndome sin venir a cuento una mano delante de las narices para que me fijara en una piedra de mucho brillo que llevaba en una sortija.

Dudé un momento antes de aceptar la invitación, porque yo había ido allí a lo mío y no a perder el tiempo en cháchara amistosa. Pero mis ojos se cruzaron con los del amiguete menudo, que me estaba echando una mirada bastante concupiscente, y me decidí.

—Bueno —acepté, con idea de trabajarme al tercero en discordia.

PEDAZO 5

Gracias a Tinito, nos dieron una de esas mesas libres sobre las cuales hay un letrero en el que pone: «Reservada».

Esta palabra es en realidad una abreviatura, pues para que el letrerito estuviera completo debería poner: «Reservada para el cliente que dé más propina».

Y como Tinito era rumboso, nos colocaron en la mesa mejor: en una tan cerca de la pista, que los bailarines se clavaban en el pompis el gollete de nuestra botella de champán, que sobresalía del cubo de hielo.

—¿Bailamos? —me dijo el amiguete.

—Me gustaría —le contesté—, pero no sé cómo se baila la conga que están tocando.

—Entonces esperaremos a que toquen un «fox» —propuso él.

—Es que tampoco sé bailar el «fox» —volví a decir un poco avergonzada.

—¿Qué es lo que bailas entonces? ¿El vals? ¿El tango?

—Tampoco —le confesé—. En realidad lo único que bailo es el «requesón». Y no creo que esta orquesta toque ningún «requesón».

El individuo se quedó pensativo, repasando en su memoria todos sus conocimientos de música bailable.

—Pues, chica —se dio al fin por vencido—, a mí el «requesón», no me suena.

—No me extraña —le tranquilicé—, porque es una pieza típica que sólo se baila en las fiestas de mi pueblo.

—¿De dónde eres tú?

—Soy manchega —dije algo mohína. Y añadí con un suspiro—: Nací en un lugar de la Mancha, de cuyo nombre no quiero acordarme.

—¡Carape, muchacha! —se asombró él de la cita—. ¡Qué culta eres!

—Allí, durante las fiestas de la vendimia, todo el vecindario baila el «requesón».

36

—¿Y es difícil de bailar?

—No, pero hace falta la música adecuada —expliqué—. Cuando el trombón hace «¡pum!», se pone uno con los brazos en jarras. Y cuando la flauta hace «¡flin!», se le arrea una costalada a la pareja con las caderas. Luego, mientras el del bombo le atiza al parche, se da media vuelta a la derecha y se pega un brinco. Y así.

—Es muy bonito —elogió él—. Y parece muy fino.

—Lo es. Y fácil de bailar, porque siempre es igual: costalada, media vuelta, brinco... costalada, media vuelta, brinco...

—¿Y cómo tiene que ser la costalada? —se interesó él—. ¿Fuerte o flojita?

—Cuanto más fuerte, mejor. Ahí está la gracia precisamente.

—Claro, claro.

—Es lástima que estos músicos no sepan tocar el «requesón» —me lamenté—, porque lo pasaríamos bomba.

—Desde luego —me dio la razón él—. Por lo que me cuentas, todas las orquestas deberían aprender a tocarlo.

(Estas palabras del individuo fueron casi proféticas, porque años después todas las orquestas siguieron su consejo. No es que hayan aprendido a tocar el «requesón» propiamente dicho, pero sí otros bailes parecidos e inspirados en él. Porque el *twist* con sus meneos de caderas y el *surf* con sus brincos, ¿no son acaso «requesones» extranjeros, un poco cambiados para que no se note el plagio?)

(Una vez más los anglosajones han robado un invento español, y nos lo mandan ahora como cosa suya envuelto en el celofán de su jerga. Lo mismo que hicieron con nuestro «autogiro», que nos lo robaron para ponerle un nombre de insecto —«himenóptero», o «helicóptero», o algo así—, hacen ahora con el «requesón». Lo copian casi exactamente, y lo llaman *madison*. ¡Menudos frescos son los rubiales británicos y los comanches americanos!)

En vista de mi escasísimo repertorio en el ramo del ritmo, el amiguete y yo renunciamos al baileteo para dedicarnos a charlar. Tere y Tinito, por su parte, se tiraron de cabeza al oleaje humano de la pista, y nos daban un grito cuando la marea de la «conga» les hacía pasar cerca de nuestra mesa.

—Deberías aprender a bailar más cosas —me aconsejó mi acompañante—. Reconozco que el «requesón» es precioso, pero no basta para alternar en sociedad. Y tú, con lo joven y guapa que eres, podrías llegar a esferas más altas que este sótano inmundo.

—¡Anda, rico! —dije dándole un empellón—. No me tomes el pelo.

—Hablo en serio —insistió él—. Pero para subir en la vida, hace falta cierta preparación: saber bailar, vestir, leer...

—Leer sí sé —le corté ufana—. Y se me da muy bien. Sobre todo la letra gorda.

—Pues te conviene leer libros.

—¿Cuántos? —quise saber, asustada de aquel trabajo tan ímprobo.

—Todos los que puedas.

—Es que yo, como poder, poder, no puedo con ninguno. Empiezo bien; pero en cuanto el argumento empieza a complicarse, me armo un lío espantoso y tengo que dejarlo.

—Pues haz un esfuerzo —me aconsejó—, y lee solamente esos pocos libros que a fuerza de premios y de propaganda, consiguen ponerse de moda. La gente, en general, no lee porque le guste; sino para poder presumir después de que ha leído.

Me aconsejó también que me pintara las uñas, previo corte de todos los padrastros que afeaban mis dedos, y que no dijera tantas veces «jolín».

—Pues eso último va a ser difícil —le dije muy preocupada—, porque entran más «jolines» en mi boca que pipas de girasol en un duro.

—Trata de decir otra palabra —me sugirió él.

—Sería mucho peor. Porque yo, cuando me viene a la lengua un taco, lo sustituyo por un «jolín». Y si suprimo esta palabra que hace de sustituta, tendré que decir la palabrota titular. Y en vez de muchos «jolines», soltaré muchas burradas.

—Una burrada de vez en cuando es más disculpable en una mujer de mundo que un chorro constante de vulgares «jolines».

—¿Y qué necesidad tengo yo de ser una mujer de mundo?

—Porque así sacarás más provecho a tu profesión

que siendo solamente una mujer de la vida.

—¿En qué se diferencian esas dos mujeres?

—Fundamentalmente, en una sola cosa: la mujer de la vida hace la carrera en las aceras; y la mujer de mundo hace la suya en los salones. ¿Comprendes?

Yo iba comprendiendo, aunque despacio, por no estar mi sesera acondicionada intelectualmente para captar sutilezas. Pero creo haber repetido con fidelidad estos consejos que me dio, porque sus palabras se me quedaron tan grabadas en la memoria como tatuajes en la piel.

El fulano empezó a interesarme. Además de ser despabilado de nariz para arriba, tenía buena facha de nariz para abajo. Ya dije que, comparado con el bestia de Tinito, éste era de humanidad más reducida. Pero no quiero decir con esto que fuera un alfeñique.

(Por cierto que algún día tengo que pedir prestado un diccionario, para ver qué significa concretamente eso de «alfeñique». Porque todo el mundo lo dice cuando se refiere al personal escuchimizado, pero estoy segura de que nadie sabe lo que es un alfeñique.)

Sin llegar a ser un gigantón, aquel amigo del novio de Tere poseía una estatura nada retaca. Salvo algunas arrugas gordas en la frente, que se les hacen a todos los listos a fuerza de pensar, tenía el pellejo de la cara muy estirado y rozagante. También andaba bien de pelambrera. Aunque bastante canosa por los alrededores de las orejas, cubría su cuero cabelludo sin entradas en la frente ni calvita de cura en la coronilla. Visto de lejos y con los ojos entornados, para atenuar sus defectillos, era un tío casi guapo. Además vestía bien, aunque su corbata y su traje resultaban demasiado oscuros para mi gusto.

—¿También tú eres un «Rodríguez»? —le pregunté haciéndome la ingeniosa.

—No —me contestó él—: soy soltero, y me llamo Luis Felipe del Romeral.

—¡Huy! —seguí luciendo mi chispa—: tienes nombre de novela rosa.

—No sé por qué —se amoscó el fulano.

—Tampoco yo, pero así es. Supongo que como el autor de esas novelas se apellida Pérez y Pérez, pone nombres rimbombantes a sus personajes para desquitarse.

—¿Te parece rimbombante llamarse Luis Felipe del Romeral?

—Rimbombantísimo —dije con cierta dificultad, pues la palabreja se las traía—. En primer lugar el nombre, porque bastaría que te llamaras Luis nada más, o Felipe a secas. Llamándote Luis Felipe no pareces un señor mondo y lirondo sino una pareja de hermanos siameses. Y eso del Romeral suena a tío linajudo. ¿Tú eres linajudo?

—¿Qué quieres decir con eso? —me preguntó extrañado.

—Que si eres conde, o algo así.

—No: sólo soy médico.

—Pues es raro. Porque en las novelas rosas, cuando alguien lleva un apellido campestre, es también propietario de una finca muy grande y de un título muy largo.

—¿Y a qué llamas tú apellidos campestres?

—A todos los que se hacen con hierbas, árboles, y otras cosas del campo. Como por ejemplo Nogales, Castañeda, Vallehermoso, Zarzalejo, Olivares, Mosquera...

—Mosquera no encierra ningún elemento campestre —me corrigió Luis Felipe.

—¿Cómo que no? —le rebatí yo—. Mosquera viene de mosca, y el campo está lleno de ellas.

Adiviné que al distinguido sujeto empezaban a divertirle mis opiniones, porque se echó a reír. Y al calmársele la risa, me dijo mientras me servía más champán:

—Pues yo, aunque mi apellido está sembrado de aromáticas plantas de romeros, no soy noble ni terrateniente.

—¿De qué vives entonces? —quise informarme, no fuera a ser que estuviese perdiendo mi tiempo con un pobrete.

—De mi profesión. Ya te he dicho que soy médico.

—Pero ¿los médicos cobran por curar a los enfermos?

—¡Pues claro! ¿Te sorprende?

—Un poco. Como siempre estáis presumiendo de que vuestra profesión es un apostolado, y los apóstoles trabajaban gratis...

Volvió a reír y a llenarme la copa de champán, mientras me decía:

—Nosotros somos apóstoles gratuitos para los pobres, pero de pago para los ricos.

Cuando los músicos dejaron la conga para cascarle al vals, Tere y su querido volvieron a nuestra mesa. Estaban sudorosos de tanto «conguear». A Tinito le chorreaba el bigote.

Aprovechando la presencia de la pareja, Luis Felipe se levantó y dijo:

—Perdonad un momento, que voy a llamar por teléfono.

Y se fue a hacer pís.

—¿Lo pasas bien? —me preguntó Tere.

—Sí —contesté—. Encuentro que este matasanos amigo vuestro es muy simpático. Y creo que también yo le he caído bien a él.

—Pues no te hagas demasiadas ilusiones —me previno mi amiga acercándose a mi oreja para que no lo oyera su novio—, porque me han dicho que es marica.

—¿Es posible? —me asombré yo—. A mí no me ha dado esa impresión. Para mi gusto es algo cursi hablando, pero parece un macho en toda la extensión de la palabra.

—No te fíes de las apariencias. Los hay que disimulan de maravilla. Y estoy casi segura de que éste es un sarasa camuflado.

—¿Cómo lo sabes tú?

—Me lo dijo una amiga —explicó Tere— que sigue colocada en la peluquería de caballeros en la que yo trabajé. Ella conoce a Luis Felipe, porque es cliente asiduo de la casa. Tan asiduo, que va todas las semanas.

—¿Y qué? —dije yo—. Ir a la peluquería con frecuencia no es de afeminados, sino de ricos.

—Según a lo que se vaya —insistió Tere—. Porque cuando va Luis Felipe, entre el peluquero y él se desarrolla siempre esta escena que mi amiga ha oído infinidad de veces:

»—¿Qué va a ser? —le pregunta el peluquero poniéndole el paño alrededor del pescuezo.

»Y él, invariablemente, contesta:

»—Depilar y teñir.

»¿No es esto un síntoma evidente de mariconería? —concluyó Tere—. ¿Cuándo has visto tú que un hombre de verdad se tiña y se depile?

Quedé un rato pensativa.

—Es raro, desde luego —tuve que admitir—. Y sin embargo, a primera vista no lo parece.

No pudimos continuar el chismorreo, debido a que Luis Felipe regresó en aquel momento del meódromo. Y como no sospechaba lo que nosotras habíamos hablado, estuvo muy amable y dicharachero. Nos contó dos chistes verdes y uno político. Yo me reí mucho con los verdes. Con el político me reí también, pero sólo por cumplir, porque en realidad no lo entendí.

(Siempre he sido torpona para entender las gracias políticas, debido sin duda a que no tengo costumbre de leer periódicos y nunca sé cómo se llaman los tíos que gobiernan. Y lo siento, pues para mi ignorancia, en un país donde todo el mundo se cachondea diariamente del gobierno, me hace perderme muchas oportunidades de reír. Con los chistes verdes, en cambio, lo paso fenómeno. Los de curas nunca me han gustado. Quizá porque tengo una hermana monja y a nadie le divierte que se burlen de su familia.)

Mientras Luis Felipe nos entretenía contando marranadas, yo le echaba unos reojos al pelo y a la cara para ver si le descubría el teñido y la depilación que le hacía el peluquero. Daba lástima pensar que un fulano tan majo perdiera el tiempo en esas mariconadas.

Cuando los camareros anunciaron que era la hora de cerrar, Tinito pagó la cuenta y salimos los cuatro a la calle.

—Os invito a tomar una copa en las afueras —propuso Luis Felipe, para corresponder a la invitación de Tinito.

—No, gracias —rechazó Tere—, porque éste tiene que madrugar.

«Éste», que era Tinito, estaba ya bastante amodorrado por el champán y le pareció muy buena la idea de irse a la cama. Tere y él se despidieron de nosotros y se marcharon en su coche.

—¿Vamos tú y yo a alguna parte? —me dijo Luis Felipe.

—Como quieras —le contesté sin entusiasmo, pues después de los informes que me había dado Tere tenía pocas esperanzas de hacer con él un buen negocio.

Montamos en su coche, que era pequeñajo y tenía en el parabrisas un cartel con la palabra «Médico».

PEDAZO 6

—Si me permites decirte la verdad —empezó mientras las tripas del motor soltaban un pedorroteo muy ordinario—, ya no me apetece tomar más copas.

«Empieza a rajarse —pensé—, Tere tenía razón: el fulano es marica y quiere darme esquinazo.»

—Entonces —dije en voz alta y enfadada—, llévame a casa.

—Es que —añadió el tío— tampoco me apetece llevarte a tu casa.

—Pues ¿qué demonios te apetece, rico? —me fui impacientando.

—Me apetecería ir contigo a algún sitio tranquilo —concretó él, conduciendo su cacharrete a velocidad de peatón.

—¿Para qué?

—¡Qué sé yo! Para charlar un rato.

—Lo siento, majo, pero éstas no son horas de charla —le corté—. Ya que he perdido la noche, lo menos que puedes hacer es dejarme en casa para que no pierda también el sueño.

—¿A qué llamas tú perder la noche? —quiso saber él, poniendo el automóvil al trote.

—A esto —le solté—: a pasarme tres horas aguantando a un panoli, para que al final me proponga que vayamos a charlar.

—¿Eso de «panoli» va por mí? —me preguntó.

—Tú verás.

Con gran sorpresa mía, en lugar de mosquearse como yo esperaba, se echó a reír.

—Te advierto —dijo cuando se le calmó la risa— que eso de la charla fue un eufemismo.

—¿Eufe... qué?

—Para que lo entiendas mejor —simplificó él—: donde dije charlar, quise dar a entender dormir. Por-

43

que a mí, lo que me apetece de veras en este momento, es acostarme contigo.

—¿Cómo? —exclamé sorprendida—. ¿Qué quieres decir?

—Que como ya estamos hablando sin rodeos, no vas a perder la noche. ¿Qué regalo quieres que te haga?

—¿Tú? —dije sin salir de mi sorpresa.

—Naturalmente —contestó Luis Felipe, apretando un pedal con el pie.

—Pero —insistí mientras el coche, que iba al trote, se puso al galope—, ¿de veras tienes la intención de... hacerme un regalo?

—Pues claro. No soy tan optimista como para suponer que te acostarás conmigo de balde, porque soy tan seductor que te has encaprichado de mí. ¿Cuánto quieres?

—A los que me caen bien en esta época, les hago una rebaja de verano —dije dándome humos de experta—. Y me conformo con quinientas. ¿Te parece bien?

—No —contestó él.

—Ya me figuraba que no te interesaría —dije más bien irónica, pensando en su afeminamiento.

—Pues te equivocaste al figurártelo, porque sigue interesándome.

—Entonces, ¿qué es lo que no te parece bien?

—El precio del regalito.

—¿Lo encuentras caro?

—Al contrario: creo que es demasiada ganga —replicó él, muy serio—. He decidido, por lo tanto, que, en vez de quinientas, te daré mil.

Habíamos salido ya del centro y el coche iba a bastante velocidad hacia el Paseo de la Castellana. Por las ventanillas abiertas entraba un aire templado, que nos despeinaba sin llegar a refrescarnos. En las aceras había grupos de trasnochadores que se resistían a entrar en sus casas, porque el sol de todo el día las transformó en hornos encendidos.

Como el motor pedorroteaba de lo lindo, temí no haber oído bien a Luis Felipe y le pregunté:

—¿Has dicho que me darás mil?

—Sí —me confirmó, meneando al mismo tiempo la cabeza en sentido afirmativo para que no hubiese lugar a dudas.

—Te advierto que no me gusta que me tomen la cabellera.

—Ni a mí tampoco me gustaría tomártela, porque se me llenaría la boca de pelos.

—No te hagas el gracioso —dije un poco seca, con tendencia a enfurruñarme—. ¿Lo de las mil es cachondeo?

—No —volvió a ponerse serio—. Creo que pasar un rato contigo vale eso y mucho más. Eres joven y guapa. No conozco las circunstancias que te obligaron a dedicarte a la profesión que ejerces, ni quiero saberlas. Tampoco soy ningún santo para aconsejarte que la abandones y vuelvas al buen camino, ni un filántropo para darte dinero sin aprovecharme de ti. Pero no soy tan malvado como para abusar de tu inexperiencia pagándote un precio irrisorio por lo que tú vas a darme, que vale muchísimo: tu juventud y tu belleza.

—Gracias —balbucí.

—Fíjate si tendrán valor estas dos cosas —continuó—, que muchas mujeres viven toda su vida tan ricamente, por habérselas entregado a un solo hombre. Y ya que tú no pudiste hacer el magnífico negocio de venderte en exclusiva, te aconsejo que procures sacar el máximo beneficio de tus ventas parciales. Porque yo te aseguro que vales mucho más que el precio que te has puesto.

Esta parrafada de Luis Felipe me impresionó profundamente. Tanto, que hasta noté en los párpados el picorcillo de un par de lágrimas. No de tristeza, sino de agradecimiento. Porque yo, desde que me lancé a este perro oficio, había tropezado con individuos miserables y cicateros que regateaban mi tarifa tratando de obtener una bonificación. Pero era la primera vez que me topaba con un tío generoso, que además de pagarme el doble me decía piropos tan bonitos. Tuve que deshacerme el nudo que se me formó en la garganta para preguntarle:

—¿Crees de verdad que valgo tanto?

—Desde luego —se ratificó él—. Lo que te pasa es que te falta experiencia. Necesitas pulirte, ¿comprendes? Como ya te dije antes, debes aprender a bailar, a arreglarte, a sacarle todo el jugo a tus encantos naturales. Eres un diamante, pero en bruto.

Como me gustó que me llamara diamante, le perdoné que estropeara el piropo llamándome bruta. Porque además, pese a mi brutalidad, yo me daba cuenta de que Luis Felipe tenía razón.

—No sabes cuánto te agradezco todo lo que me has dicho y los consejos que me has dado —murmuré conmovida.

—No tiene importancia. Ahora deja de pensar en cosas serias, y vamos a divertirnos.

—¿Adónde iremos?

—A mi casa.

—¿Estás seguro de que te apetece pasar un rato conmigo? —volví a preguntar, pensando de nuevo en los informes de Tere.

—Pues claro. ¿Cuántas veces voy a tener que repetírtelo?

—Es que... verás —empecé vacilando—. Has sido tan amable conmigo, que yo tengo la obligación de ser leal contigo también. Y debo contarte ciertos rumores que me han llegado, referentes a ti.

—¿Rumores? —repitió Luis Felipe extrañado, aminorando la velocidad del cacharrete—. ¿Qué clase de rumores?

Me pareció mejor no andarme con rodeos, y se lo solté como un escopetazo:

—Que eres un poco raro y no te gustan las mujeres.

Noté que la perdigonada del escopetazo había alcanzado de lleno al pichón, pues el coche se detuvo con un frenazo que hizo dar chillidos a las cuatro cubiertas.

—¿Quién te ha contado eso? —se volvió hacia mí Luis Felipe, con una cara de perplejo que daba grima.

—Se dice el pecado, pero no el pecador —me escurrí, agradeciendo a esta frase hecha la escapatoria que me proporcionaba.

—Pues no lo comprendo —dijo él quedándose pensativo—. ¿Cómo han podido hablarte de mí, si tú no me has conocido hasta esta noche?

—No tiene nada que ver —continué escurriéndome—. También me han dicho que Dalí está chiflado y que «Charlot» es judío, y no los conozco de nada. De la gente famosa habla todo el mundo sin necesidad de conocerla personalmente.

—Vamos, déjate de bobadas —rechazó el tío—. Yo no soy famoso, y tú me prometiste ser leal. Si no quieres decirme quién te lo dijo, dime al menos qué es lo que te dijeron exactamente.

A eso no pude negarme y se lo expliqué:

—Alguien que lo sabe de buena tinta, me ha contado que todas las semanas vas a la peluquería, a teñirte y depilarte.

—¡Vaya!

—Yo, si quieres que te sea sincera, no me lo creí.

—¿Por qué? —se extrañó Luis Felipe.

—¿Cómo? —me extrañé yo a mi vez—. ¿Luego es verdad?

—Sí. Voy todas las semanas a la peluquería, en efecto, a teñirme y depilarme. ¿Qué más te dijeron de mí?

—Nada más. ¿Te parece poco?

—Pero todo eso de que yo era raro y de que no me gustaban las mujeres...

—¡Hombre! Eso no hace falta que nadie lo diga, pero es lógico que todo el mundo lo piense.

—¿Lógico? —repitió Luis Felipe—. ¿Por qué va a ser lógico?

—Pareces tonto, hijo —me disparé, pues empezaba a notar dentro de mí el remusguillo de la impaciencia—. Un varón que se tiñe y se depila, no resulta muy varonil.

—¡Ah! ¿Eso es lo que te hizo suponer todo lo demás?

—Naturalmente —concluí.

Luis Felipe apretó de nuevo el acelerador, mientras soltaba la carcajada más estrepitosa que yo había oído desde que mi madre me parió.

—No le veo la gracia por ninguna parte —me enfurruñé—. Si te parece divertido que la gente te tome por un afeminado...

—Tienes razón —dijo él, parando su risa en seco—. Nunca se me ocurrió que mis sesiones de peluquería pudieran interpretarse así; pero ahora que me lo dices, lo comprendo perfectamente. Y sin embargo, todas esas cosas que me hace el peluquero tienen una explicación sencillísima.

—Me gustaría saberla.

—Pues ahora mismo la sabrás —empezó él, volviendo a aminorar la marcha de su cacharro—. ¿Qué edad me calculas tú?

—¿Edad?

—Sí. ¿Cuántos años crees que tengo?

—No sé calcular —dije mirándole—, pero podrías ser mi padre. Representas unos cuarenta y tantos.

—Pues asómbrate: acabo de cumplir los veintinueve.

—¡No! —exclamé, asombrándome como él había previsto—. ¿Es posible?

—Te lo juro. ¿Ves estas entradas? —dijo acercándome la cabeza y señalando dos sitios pelados en lo alto de la frente, donde algunos animales suelen tener los cuernos.

—Sí —dije observando la zona que me señalaba—. Ahí te falta pelo.

—¿Y ves estas canas? —añadió moviendo la cabeza a derecha e izquierda, para que me fijara en sus sienes.

—Se ven a la legua, porque tienes muchísimas —le solté con sinceridad.

—Pues ambas cosas —declaró Luis Felipe con cierta solemnidad—, me las hace el peluquero todas las semanas.

Me quedé tan sorprendida que sólo pude decir:

—¿Cómo?

—Las falsas entradas me las depila, y las falsas canas me las tiñe. Gracias a lo cual consigo aparentar más de cuarenta años, sin haber llegado a los treinta todavía.

Aunque me estrujé los sesos tratando de entender aquel disparate, al final tuve que darme por vencida y preguntar:

—Pero ¿por qué te interesa parecer mucho mayor de lo que eres en realidad?

—Porque soy ginecólogo.

Como era la primera vez que oía esa palabreja, me sonó a palabrota. Pensé que quizá fuera una de las muchas formas que existen para designar a los maricas, o el nombre de alguna enfermedad inconfesable. Como las hemorroides, la impotencia y otras gracias que suelen ocurrir de cintura para abajo.

Pero Luis Felipe me sacó de mi error, explicándome que la ginecología era la especialidad de su carrera que se ocupa de las cosas más íntimas del interior de las señoras: desde la zona que usamos para hacer el amor, hasta todas las glándulas que tenemos para hacer los chavales.

—¿Y eso qué tiene que ver con tu disfraz de vejestorio?

—Pues verás: en mi consulta, hago que todas las mujeres se desnuden.

—¡Qué aprovechado! —comenté.

—No lo hago para aprovecharme, sino para reconocerlas. Muchas veces tengo que ponerme un guante de goma, para explorar ciertas intimidades a las que sólo tienen acceso los maridos o los amantes. Y tú ya sabes, aunque ahora lo hayas olvidado, lo que es el pudor de las mujeres. Las pobres pasan una vergüenza espantosa en esos reconocimientos. Y prefieren mostrar sus desnudeces a un médico ya viejo que a uno jovencito. Yo no empecé a tener clientela hasta que el peluquero me echó encima docena y media de añitos. Al principio, cuando abrí mi consulta con mi cuarto de siglo recién cumplido, las señoras inventaban al verme cualquier pretexto para decirme que tenían prisa y que ya volverían otro día. Pero ninguna volvió.

—¡Hay que ver! —exclamé yo, aligerada de un gran peso por su confesión—. ¡La de trucos que es necesario hacer en este cochino mundo, para asegurarse el cocido!

Y con esta inteligente observación, que chorreaba filosofía de la buena, llegamos a casa de Luis Felipe.

A la mañana siguiente, cuando volví a mi pensión sin haber tenido tiempo de dormir, llamé por teléfono a Tere para que rectificase sus opiniones sobre el ginecólogo.

—Fíjate si será macho —expliqué a mi amiga— que si no llega a ser porque le avisaron que una de sus parturientas se había puesto a parir, aún estaría el tío haciendo de las suyas.

—Así es la vida —suspiró Tere—. Mi Tinito en cambio, con tanto bailoteo y tanto trago, se acostó anoche sin decirme por ahí te pudras. Y aún sigue roncando.

Desde aquella noche, en materia hombruna aprendí a no fiarme de las apariencias.

PEDAZO 7

Aunque nunca volví a ver al llamado Luis Felipe, porque el individuo era un mariposón y no le gustaba repetir con ninguna chica, no eché en saco roto los consejos que me dio.

Yo era en efecto, como él había dicho, un diamante en bruto. Las facetas del diamante no se veían aún, pero sí saltaba a la vista mi brutalidad. Porque servidora, en cuestión refinamientos, estaba más pez que un besugo.

Dije alguna vez, y no me cansaré de repetirlo, que nunca fui tonta. Tuve desde pequeña cierto despabilamiento natural, que no me atrevo a llamar congénito porque en realidad no sé lo que quiere decir congénito. Pero sin llegar a ser lista como una ardilla, no era tampoco tan imbécil como una gamba. No cabía duda de que yo, con unas buenas raciones de cultura, podía llegar a ser una mujer estupenda. Y decidida a conseguir este objetivo, empecé a poner en práctica mi plan de desarrollo intelectual.

La primera fase de este plan consistió en ir a una librería de viejo, donde cargué ocho kilos y medio de libros por cien pesetas. Como yo no sentía predilección por determinados autores, pues no conocía el nombre de ningún plumífero actual, puse encima del mostrador un billete de veinte duros y dije al dependiente:

—Póngame un surtido al peso por esta cantidad.

Y el tipo, hasta completar el dinero, fue haciendo un montón de libracos usados. Entraron muchos en el montón, de distintos colores, grosores e incluso olores (porque unos olían a humedad, otros a ratones, y casi todos al sudor del manoseo).

Quitando dos que no me sirvieron para nada (un *Método para combatir las plagas del campo* ilustrado con dibujines de escarabajos, y una *Trigonometría Su-*

perior para ingenieros industriales), el lote resultó interesante.

Había en él una novela policíaca muy gorda escrita por un tal Dostoievski, que me divirtió horrores. Ya no recuerdo cómo se llamaba, pero la trama era de lo más entretenido: consistía en la historia de un asesino bastante pusilánime, que mataba a una vieja y luego le daba pena. Esta pena, que al principio era pequeña, iba creciendo poco a poco durante muchas páginas. Hasta que al final la pena llegaba a ser tan grande, que el tipo se metía en la cárcel él solito para purgar la trastada que le hizo a la vieja.

Menos mal, pues si el propio asesino no llega a tener tanta conciencia, hubiera podido seguir matando viejas sin que nadie le echara el guante. Porque esta novela policíaca demostraba que los detectives rusos son unos ineptos, incapaces de descubrir a un criminal en más de quinientas páginas.

¡Ni siquiera cuando el criminal, como en este caso, había cometido su crimen a lo guarro, dejando huellas por todas partes! ¿No es una vergüenza para la policía rusa? Los detectives del resto de Europa, en cambio, son fenomenales: basta leer cualquier novelita corta de crímenes, de esas que venden en los quioscos por siete pesetas, para comprobar que los tíos son capaces de esclarecer un asesinato en menos de cincuenta páginas. Y no sólo los asesinatos a hachazos, que son los más facilones, sino los que cometen a lo fino los asesinos cultos. Porque éstos le echan tanta ciencia y tantas coartadas al asunto, que sus muertes resultan dificilísimas de descubrir.

Había en el lote otra novela gorda, también de crímenes. Pero se diferenciaba de la anterior en que las víctimas no eran usureras viejas en sus casas particulares, sino soldaditos jóvenes en los campos de batalla. A pesar de esta diferencia, yo la consideré del mismo género. Porque, para mí, todas las novelas en las que se mata gente, son de crímenes.

Se llamaba *Lo que el viento se llevó*. Un título poco apropiado a mi juicio, pues el tomo era tan voluminoso que ni el más fuerte de los vendavales habría podido llevárselo. Recuerdo que tardé varios meses en leerlo y que la trama se desarrollaba en América antiguamente. No sé en qué siglo con exactitud; pero a juzgar por las salvajadas que hacían todos los personajes, matándose sin ton ni son porque unos eran del Norte y otros del Sur, debió de ser antes de que Colón descubriera a los americanos.

Otro librito del montón era muy raro y jamás logré entenderlo. Pero lo conservé, porque tenía unas tapas muy vistosas con muchos filetes de oro. Todas sus páginas estaban cubiertas de garabatos pequeños, y nunca supe si era una novela escrita en árabe, o un método para aprender taquigrafía.

El resto del lote, hasta los ocho kilos y medio, se componía de novelas rosas y novelas negras. Las novelas rosa todo el mundo sabe cómo son. Pero las negras no, porque es un género que yo he inventado.

Las llamo novelas negras, porque todas sus páginas son negrísimas. Están cubiertas por una masa compacta de letras, sin que la vista pueda descansar en el clarito que dejan los diálogos y los puntos y aparte. Estos libros siniestros, de lectura trabajosa a causa de su negrura, los escribieron esos grandes pelmazos del siglo pasado, los cuales necesitaban unas parrafadas kilométricas para explicar que llovía, que el sol se estaba largando por el horizonte porque ya era tarde, o que una individua estaba de rechupete.

Estas cosas tan sencillas, que ahora se dicen con menos palabras que un telegrama, requerían entonces casi todo el contenido de un diccionario. Pero como yo no había comprado los libros para divertirme, sino para cultivarme, hice de tripas corazón y me tragué también esos rollazos. Aunque confieso que muchas veces me daban mareos de ver tantas letras apretadas, y tenía que cerrar los ojos un rato para reponerme mientras exclamaba:

—Pero ¡qué repajoleros pelmas eran los autores del siglo 19!

(Escribo aposta «siglo 19» con números corrientes, porque siempre me ha parecido un atraso numerar los siglos con los signos y palitroques de los gachós romanos. ¿No resulta mucho más claro para todo el mundo poner un «19» reluciente, limpio de polvo y paja, que escribir «equis palito equis»? El arte de la escritura está lleno de antiguallas que deben modernizarse y ésta es una de ellas. ¡La que iba a armar yo si por casualidad me nombraran académica! Claro que esas casualidades no ocurren nunca, y gracias a eso la Academia sigue viviendo del cuento. Porque a mí que no me digan que los números romanos no son una cursilería anticuada, y que las haches mudas sirven para algo más que para incordiar al escribiente.)

Para completar la cultura que iba adquiriendo mi cabeza, inicié también la educación de mis pies.

Luis Felipe estaba en lo cierto al afirmar que no pueden obtenerse grandes éxitos en las salas de fiestas bailando solamente el «requesón». Y para aprender bailes modernos, me inscribí en la «Academia Ninchi».

Esta academia estaba en un primer piso de la calle Alcalá, encima de una cervecería; y en realidad no se llamaba «Ninchi», sino «Nichinsky», en memoria de un bailarín muy famoso. Pero como los madrileños tienen poca facilidad para pronunciar los idiomas extranjeros, le quitaron al «Nichinsky» sus complicaciones rusas y lo convirtieron en un castizo «Ninchi».

El local era amplio y destartalado. Se componía de varios salones desnudos, rodeados de sillas arrimadas a las paredes. En cada salón había una gramola grande y vieja, donde se ponían los discos para las lecciones. Yo iba de siete a nueve de la tarde, cuando la animación era mayor, pues ya habían cerrado los comercios y gran parte de los alumnos eran horteras. Había mucho dependiente y mucha dependienta, que deseaban aprender todos los secretos del meneo en pista para abrirse camino en la vida social.

Los respaldos de las sillas habían hecho en todas las paredes una profunda rozadura, por la que caía al suelo el yeso pulverizado. Este polvo blanco lo arrastraban los bailarines en sus zapatos hasta el centro de los salones donde se bailaba, poniéndolo todo perdido.

Como empecé mis clases en agosto y hacía un calorazo de bigote, todas las ventanas de la academia estaban abiertas. Y por ellas, además de un aire templaducho y viciado como un flato, entraban todos los ruidos de la calle. Los cuales, al competir y mezclarse con la música de las gramolas, armaban un follón de espanto.

De ese cursillo, entre otros recuerdos que guardo

en la memoria, conservo también uno olfativo a sudor y perfumes baratos. Porque el alumnado, además de numeroso, no era muy pulcro ni selecto.

Empecé mis lecciones por el «pasodoble», por ser el sistema más elemental para dar vueltas en una pista de baile agarrada a un señor. Todo se reduce, en efecto, a ir de un lado para otro dando pasitos cortos, persiguiendo las piernas del tío que baila con una. Y aunque alguna vez durante el aprendizaje mis muslos tropezaron con las piernas del maestro que me enseñaba, el maestro no protestó por los tropezones. Al contrario: me dijo que bailaba divinamente, y que tropezar con mis muslos añadía al pasodoble muchísimo interés. A la tercera lección me di cuenta de que aquel maestro era un mangante, pues el muy astuto tropezaba conmigo a cada paso. Y tuve que pararle las piernas.

Aprendida la técnica de cada baile con el profesor respectivo, alumnos y alumnas practicaban bailando entre sí. Yo tenía mucho éxito y aquellos bailarines novatos me sacaban continuamente a la pista. Y como el pasodoble es facilón, charlábamos mientras íbamos dando los paseítos reglamentarios.

—Yo estoy aprendiendo a bailar —me explicaba un tipo larguirucho y con granos—, porque trabajo de dependiente en una corsetería.

—¿Y qué tiene que ver la gimnasia con la magnesia? —decía yo, extrañada.

—Es que me salen muchos planes entre la clientela de la tienda —me cuchicheaba mi pareja—. Lo malo es que todas son señoras gordas, pues sólo ellas van a comprar corsés. Pero a caballo regalado...

A mí eso de llamar caballos a las señoras, aunque estuvieran gordas y aquel chulo las montara, me sonó fatal. Y no volví a bailar con él.

—Me llamo Domingo de Ramos —se presentaba otro mientras «pasodobleábamos» en la pista.

—Tienes nombre de fiesta del calendario —me reía yo.

Algunos de esos horterillas pretendían camelarme, y se me declaraban a los marchosos compases de «¡Olé, torero!». Pero yo, que no quería perder el tiempo con niñatos de mucho fijador en el pelo y poca pasta en la cartera, les daba unas calabazas de campeonato hortí-

cola. No obstante, como siempre me gustó sacar el
máximo partido de cualquier situación, por poco ren-
table que ésta fuera, la entrega de calabazas a mis gala-
nes tenía lugar en la cervecería que estaba debajo de
la academia, y sólo después de haberme tomado a costa
de ellos varias cañas de cerveza, con sus correspondientes
raciones de gambas.

Cuando el pasodoble dejó de tener secretos para mí,
pasé a aprender el tango. Estas lecciones se daban en
un saloncito contiguo, más coquetón. Esto de coquetón
sólo lo decía el director del establecimiento, que era un
optimista. Pero, en realidad, la única coquetería que se
observaba en aquel cuarto, era que sus paredes tenían un
ligero colorete rosado.

El maestro de tango, como ya advertía la propaganda de la «Academia Ninchi», era nativo. No podía decirse que fuera un argentino con toda la barba, pues
no tenía ni un pelo en el mentón, pero sí con toda la
patilla. Porque esos adornos pilosos que se dejan crecer en la cara muchos fulanos de la especie latina, le lle-
gaban a él hasta las comisuras de los labios. Se llamaba
Carlomagno, aunque todo el mundo le hacía la pascua
reduciendo aquel nombre grandioso a un insignificante
Carlines. Yo supongo que si sus padres le pusieron ese
nombrón tan grandote, fue para compensarle de la bre-
vedad de su apellido. Porque Carlomagno se apellidaba Pí.
Y apellidándose simplemente Pí, hay que poner algo
grande encima para que a uno se le vea. Como cuando se
pone un pisapapeles sobre un papelillo de fumar, para que
no se lo lleve un soplo de viento.

Unos churretes negruzcos que bajaban mezclados con
el sudor por el pescuezo de Carlines, y que observé de
cerca cuando me daba la primera lección de tango, me
indicaron que se teñía el pelo. Pero Pí no se teñía para
avejentarse, como el ginecólogo Luis Felipe, sino para re-
juvenecerse. Porque el infeliz era un viejorro de órdago. Se le notaba en el cuello, pues lo tenía más arru-
gado y pellejudo que una tortuga.

Daba un poco de pena verle a su edad, casi venera-
ble, contoneándose entre jadeos y sudando churretes
de tintura para ganarse el pan. Su vida, según contaban
algunos alumnos, era tan triste como las letras de los
tangos que nos enseñaban a bailar: había nacido en un

«rancho de pampa» (que quiere decir en argentino «casa de campo»). Pero como a él le aburría la vida «pampestre» y tenía mucha disposición para el tango, se fue a Buenos Aires con la idea de abrirse camino como tanguista (o como se llame al que vive de bailar eso). El tío las pasó canutas, debido a la competencia. Porque bailar el tango en Buenos Aires no tiene ningún mérito: lo bailan los lecheros, los magistrados, los guardias y los tranviarios. En vista de lo cual Carlomagno Pí decidió formar una pareja y venirse a Europa, pues aquí el «tango» apenas se conocía. Encontró a una bailarina profesional, cuyo nombre artístico era Margalia, y le habló de su proyecto. A Margalia le pareció bien la idea del señor Pí, y ambos formaron una pareja que se anunciaba así: «Pí y Margal».

Cruzaron el charco y tuvieron cierto éxito en algunos «cabarés» de por acá. Pero Carlomagno se enamoró de Margalia, y Margalia se enamoró de «Mesié Bob». Este «mesié» era un chulángano cabaretero, que además de sacarle los cuartos la sacaba también de quicio. Carlines sufría y trataba con razonamientos de desenchular a su *partenaire*. Pero ella, que estaba encoñadísima con su chulo, le oía llorar como quien oye llover.

Y un mal día, harta de los reproches de Carlines, la muy tiorra se largó con el «mesié». Así quedó disuelta para siempre la pareja «Pí y Margal». Y Carlomagno, después de esta derrota, nunca volvió a levantar cabeza. ¿Cómo iba a levantarla el pobrecillo si todo el mundo sabe que, cuando se está enamorado de verdad, los cuernos pesan muchísimo?

PEDAZO 8

HE CONTADO CON ALGÚN DETALLE la historia del profesor
de tango, porque a mí me ocurrió lo mismo que a su
pareja: también y, bailando en la «Academia Ninchi»,
conocí a un tipo que me desquició. Y aunque no puse
los cuernos a nadie, porque yo vivía sola y bailaba por
mi cuenta, me enamoré como una burra y sufrí como
una condenada.

El tipo no se llamaba Bob, sino Manuel, pero tenía
madera de chulo como el «mesié» que sedujo a Margalia. Lo conocí a fines del verano, en la academia. Mis
lecciones ya habían terminado, pero yo continuaba
yendo algunas tardes para practicar los bailes que me
enseñaron. Quería dominar el baileteo en el otoño,
cuando empezase la temporada y volviesen de las vacaciones todos los señores que tienen dinero y saben gas-
társelo.

Una de esas tardes, estando yo sentada en una de
las sillas que había alrededor de los salones, se me acercó
el Manuel que cito en mi párrafo anterior.

Era más bien alto, ancho de hombros y estrecho de
caderas, con el pelo peinado sin raya y hacia atrás. Tenía la piel tostada por el sol de piscina. (Yo noto al primer vistazo la diferencia del tueste marítimo o pisci-
nícola, pues el sol no actúa igual con el yodo del mar
que con el cloro del grifo.) Iba vestido como un señorito, con lo cual quiero decir que no llevaba gorra, ni
pañuelo al cuello, ni ninguna de esas elegancias barrio-
bajeras que caracterizan al chulillo de sainete. El fulano, resumiendo, sabía vestir. (Porque yo noto también, por la forma del nudo y su colocación en el
cuello de la camisa, si un hombre tiene costumbre de
llevar ese trapo larguirucho llamado corbata.)

Para acabar el croquis de su aspecto diré que, entre
el labio superior y la nariz llevaba una agrupación de

pelos no muy nutrida, pero lo bastante numerosa como para poder afirmar que tenía bigote.

—Quieres bailar conmigo —dijo mirándome sin parpadear.

Advierto a los señores de la imprenta que no se me ha olvidado poner los signos de interrogación en la frase que me dirigió Manuel. A primera vista lo parece, puesto que la gente bien educada suele decir esas palabras en tono interrogativo. Así:

—¿Quieres bailar conmigo?

Pero Manuel, en lugar de preguntármelo, afirmó rotundamente que yo quería bail con él. Y lo curioso del caso es que el tío no se equivocaba. Porque yo, después de mirar sus ojos clavados en los míos, me levanté y le seguí al centro del salón. La gramola estaba tocando un «blu» lentote y sensualoide, de esos que se estilan en los locales pequeños y con poca luz para que las parejas se arrimen a base de bien.

Manuel me trincó con fuerza por la cintura, y se puso a darme los meneos suaves propios del «blu». Noté su cuerpo pegado al mío, y ese contacto no me desagradó. Desde que había iniciado mis clases en la «Academia Ninchi», aquél era el primer bailarín que no apestaba a sudor. Además no me pisó ni una sola vez durante toda la pieza, detalle que también contribuyó a que le encontrara agradable.

—¿Hace mucho que vienes por aquí? —me susurró, haciéndome sentir un cosquilleo en todo el espinazo.

—Un mes y pico —dije yo, notando que gran parte de mi piel se me estaba poniendo de gallina.

—Pues para ser tan novata, no bailas mal —volvió a susurrarme, rozándome con el bigote lo que suele llamarse el pabellón auditivo—. El «blu» lo bordas, preciosa.

—Favor que usted me hace, joven —me hice yo la fina, separándome un poco de él para guardar las distancias. Porque cuando una deja que la aprietujen en el primer baile, los fulanos se imaginan que todo el monte es orégano.

Después del «blu» nos marcamos un tango y un vals, que nos sirvieron para conocernos más a fondo. Yo le conté que me llamaba Mapi, que era manchega y que tenía una hermana monja. Este último dato no le hizo demasiada gracia, pero yo le tranquilicé explicándole que eso del monjato no era contagioso.

Cuando a fuerza de menearnos juntos al compás de la música cogimos más confianza, él me dijo:

—No me llames Manuel ni Manolo. Odio esos nombres. Como me apellido Jiménez, mis amigos han cogido la primera sílaba y me llaman Jim. Hace un poco extranjero, pero me gusta. Además, ese nombre le va bien a mi profesión.

—¿A qué te dedicas? —quise saber.

—Negocios —respondió él vagamente.

—¿Qué clase de negocios? —pretendí concretar.

—Quizá llegues a saberlo algún día —concluyó Jim con la misma vaguedad—. Por ahora, no hagas tantas preguntas. Baila y calla.

Me callé, pero confieso que aquel misterio me intrigó. Nada excita tanto la curiosidad de una mujer como que le cierren la puerta de un secreto cuando está a punto de entrar en él. Y a mí acababan de cerrármela en las narices.

A partir de ese momento mi interés por Jim creció una barbaridad. Empecé a verle rodeado de una aureola parecida a la que se ponen los santos cuando se retratan para salir en las estampitas.

Mi admiración por él no me impidió observar los esfuerzos que hacía para parecerse a uno de esos «duros» que salen en las películas y que tanto gustan a las chicas.

Un «duro», como sabe todo el mundo, no sonríe casi nunca. Y cuando lo hace su sonrisa es tan terrible, que hiela la sangre en las venas. El «duro» fuma mucho pero no se molesta en quitarse el cigarro de la boca entre chupada y chupada: lo lleva siempre pegado a un labio y aguanta sin pestañear, aunque le escueza, el humo que se le mete en los ojos.

A mí, la verdad, los «duros» me dan mucha pena porque los pobrecillos tienen que seguir un régimen sentimental severísimo: no pueden besar a un niño, ni declararse a una mujer, ni darle una limosna a un pobre...

Tampoco pueden llorar cuando les duele algo, o cuando les pegan un puñetazo en la cara, o cuando se les mueren sus papás... ¡Con lo que descansa una buena llantina, y con lo que satisface tener un rasgo de generosidad con los demás!...

Pero ellos tienen que chincharse, porque su dureza es incurable. Los «duros» no son garbanzos. Si lo fueran bastaría ponerlos durante algunas horas en remojo, dentro de un puchero lleno de lágrimas, para que se ablandasen.

Todas estas consideraciones me las hice mientras bailábamos, al observar el empeño que ponía Jim en permanecer más serio y seco que un palo.

Alguien puso en la gramola un pasodoble, y todo el mundo salió a bailarlo por ser la pieza más fácil.

—Salgamos de estas apreturas —decidió Jim, llevándome hacia la puerta del salón.

Dentro de la academia el calor era sofocante. El aroma de los sudores naturales predominaba sobre el de los perfumes artificiales.

—Tengo sed —dije cuando llegamos a la puerta—. ¿Tú no?

—No —negó él, pues un «duro» no puede tener esas debilidades de señoritinga—. Pero te invito a beber algo en la cervecería de abajo. Vamos.

Le seguí, ya que él empezó a bajar la escalera sin molestarse en invitarme a que pasara yo primero. Bajaba con las manos en los bolsillos, pensando en sus cosas y sin hacerme ni pizca de caso. Como un «duro» de verdad. Había encendido un cigarrillo, que se balanceaba con displicencia en una esquina de su boca.

Cuando llegamos ante la puerta de la cervecería, la abrió de un puntapié.

—Pasa —me dijo sin volverse, mientras pasaba él delante.

El local era sucio y ruidoso. Los mozos que atendían el mostrador, cubiertos con unos mandiles que fueron blancos al principio del verano, se comunicaban a gritos los encargos de la clientela. No comprendo por qué, pues el mostrador era corto y todos los mozos estaban apiñados en un espacio tan reducido, que podían oírse unos a otros hablando a media voz. Sin embargo, gritaban como fieras, ensordeciendo a los parroquianos y obligándoles a berrear también para entenderse.

—¡Dos cañas y una de anchooooooooas! —aullaba un mozo.

—¡Peseta que regalan al boooooooote! —añadía otro.

—¡Graaaaaaacias! —coreaban todos.

El suelo junto al mostrador era un cementerio nauseabundo de gambas decapitadas. ¿Cuántas horas o cuántos días llevaban allí esos cuerpos vaciados, y esas cabezotas que crujían horriblemente al pisarlas? Aquellos restos, cubiertos en parte de serrín amarillento, parecían cadáveres a medio enterrar por un sepulturero gandul, al que se le había acumulado demasiado trabajo.

Como tanto bailoteo me había dado mucha sed, pedí uno de esos botellines de naranjada que tienen nombre extranjero no sé por qué, pues se hacen con naranjas españolas, se envasan en botellas españolas y se tapan con corchos españoles. Misterios del «esnobismo» comercial.

Jim también estaba sediento por haber bailoteado tanto como yo. Pero como resulta ridículo que un «duro» se tome un refresco como si fuera un nene, tuvo que pedir una copa doble de ginebra. Este trago le dio más sed y más calor que antes de tragárselo; pero el que algo quiere, algo le cuesta. Y como Manuel Jiménez quería ser «duro» a toda costa, se aguantaba aunque se abrasara.

—¿Qué clase de vida haces? —me preguntó mientras tomábamos nuestros líquidos respectivos.

—La corriente —dije yo poniéndome evasiva.

—¿Trabajas en alguna parte?

—A veces —admití—. Pero no en un sitio fijo.

Ambas cosas eran ciertas. Porque yo, en primer lugar, no trabajaba con regularidad. Y en segundo, hablando profesionalmente, nunca me había acostado dos veces en la misma cama.

—¿Y qué clase de trabajo sueles hacer? —siguió interrogándome el atractivo chulapo.

Como no era cosa de decirle la verdad completa, pues el nombre de nuestra profesión más vale guardarlo en el incógnito, eché mano de mis recuerdos y le dije una verdad a medias.

—Me dedico al servicio doméstico —declaré, acordándome de los tiempos en que serví como criada en la tienda de mi pueblo y en la pensión de Málaga.

Lejos de decepcionarle esta declaración, como yo temía, pareció que le interesaba mucho.

—¿De veras? —dijo mirándome con intensidad, como si en aquel momento acabara de fijarse en mí por vez primera—. ¿Y ahora estás colocada?

—No.

—¿Dónde vives entonces?

—En una pensión. Ahorré un poco en la última casa donde serví —continué mintiendo—. Y hasta que encuentre una nueva colocación...

—Puede que yo pueda proporcionarte una —insinuó Jim—. ¿Aceptarías?

—Hombre, depende —contesté para no comprometerme—. Si fuera una casa de poco trabajo y de mucho sueldo...

—Si la colocación consistiera en trabajar mucho y ganar poco —se enfadó él—, no te la propondría. ¿Crees que soy imbécil?

—Perdona —me excusé, un poco avergonzada.

Aquel hombre, desde el primer momento, había tenido la virtud de intimidarme como a una colegiala asustadiza. Yo en esa época, aunque las circunstancias me habían obligado a abrazar la carrera prostitucional, continuaba siendo en ciertos aspectos más inocentona que una corderilla. Y no había comprendido aún que cuando un fulano intimida a una chica, es porque el fulano la tiene en el bote. Por eso no pude huir a tiempo del peligro, y embarqué sin darme cuenta en el bote de Jim.

PEDAZO 9

AUNQUE NO QUISO CONCRETAR en qué consistía la colocación que me propuso, Jim me anticipó que se trataba de un puesto de confianza. Como estos puestos son muy delicados, necesitaba conocerme a fondo antes de decidir si yo reunía las aptitudes suficientes para ocuparlo.

Y a fondo me conoció el muy sinvergüenza dos noches después. Porque yo, al principio, me hice la estrecha. Y cuando intentó propasarse a las pocas horas de haberme conocido, le paré los pies. Las manos, en cambio, siguiendo una vieja táctica mía, no se las paré; porque el tío acariciaba de maravilla. Y aunque yo era demasiado joven para que las caricias me excitaran tanto como a las mujeres mayores, sentía unos escalofríos muy agradables por toda mi corpulencia. No puedo decir que la piel se me pusiera de gallina adulta, dada mi corta edad, pero sí se me ponía de pollita.

Dos días le bastaron a Jim para camelarme por completo. La dureza de su carácter por un lado y la suavidad de sus manos por el otro, me volvieron tarumba en un par de sesiones.

En la primera sesión me llevó en taxi a un merendero de las afueras, situado en esa tierra seca que rodea Madrid, que los madrileños optimistas llaman «campo».

El merendero se llamaba «El Panal». Y no porque sirvieran miel con las meriendas, sino porque todo el interior del establecimiento estaba dividido en pequeños reservados como celdillas.

El camarero que atendía a las parejas que ocupaban los reservados, tosía mucho. Pero no porque estuviera acatarrado, o porque tuviese los pulmones pochos, sino para advertir a la clientela de su proximidad. Gracias a la tos se le oía venir desde lejos; y las parejas que estaban haciendo manitas, o cosas peores, podían separarse y guardar la debida compostura cuando él entraba con las consumiciones.

En «El Panal» Jim avanzó mucho en el camino de mi conquista. Pero no llegó a ocuparme con todas sus fuerzas de ataque, porque la celdilla no tenía dimensiones ni comodidades para ciertas cosas. A mí, la verdad, cada hora me gustaba más el fulano aquel. Contribuyó sin duda a excitar mi imaginación su aire misterioso, que le envolvía como el baño de huevo y pan rallado a un filete empanado.

—¿Por qué no me hablas de ti? —le dije muchas veces—. Me gustaría saber algo de tu vida. ¿Quién eres? ¿Qué haces? ¿De qué vives?

—Ya lo irás sabiendo poco a poco —se escabullía él.

Y para que no siguiera haciéndole preguntas, me cerraba la boca con un beso que me hacía estremecer desde el peinado a los tacones.

Me intrigaban cada vez más las actividades secretas de aquel individuo tan majo, y le observé atentamente para tratar de averiguarlas. No tenía manos de trabajador manual, porque a los obreros de esta clase les salen unos callos en las palmas y unas cosas negras en las uñas que son inconfundibles. Tampoco era un chupatintas, porque a los desgraciados que trabajan en las oficinas se les forma chepa a fuerza de estar encorvados sobre sus mesas. Tampoco estaba sujeto a un horario laboral, como cada quisque que tiene una ocupación fija, puesto que disponía de todo el tiempo que le daba la gana para salir conmigo.

Entraba dentro de lo posible que hiciera negocios, como él mismo me había insinuado. Pero ¿qué clase de negocios eran ésos, que no podían explicarse por las buenas? ¿Por qué tenía que ocultarlos? ¿Tan sucios eran que le avergonzaba hablar de ellos claramente?

Estas preguntas, para las que no encontraba respuestas, me traían frita. Pero esa misma incertidumbre le daba emoción al idilio, y me empujaba con más brío a los brazos del inquietante Jim.

Tan brioso fue el empujón que, al caer la siguiente noche, también yo caí en sus brazos.

Fue en casa de una tal doña Pascuala, que tenía en la calle de la Luna una pensión para serenos. Como todos los serenos de Madrid tienen fama de ser gallegos y asturianos, muchos de ellos dejaron la familia en su tierra y viven en pensiones. Los huéspedes fijos de doña Pascuala pertenecían a este gremio exclusivamente. Y como ya entonces la vida estaba muy achuchada, esta circunstancia servía a la dueña para duplicar sus ingresos: durante el día alquilaba las habitaciones para que durmieran los vigilantes, y durante la noche volvía a alquilarlas para que no durmiesen los amantes. Las camas de aquella casa, por lo tanto, trabajaban en jornada intensiva.

La habitación que nos dio doña Pascuala olía un poco al sereno que la había ocupado desde por la mañana; pero a mí no me importó, ni a Jim tampoco. Teníamos tantas ganas de estar juntos, que ni siquiera nos fijamos en tres colillas de tabaco negro que había en el cenicero de la mesa de noche, ni en un gran manojo de llaves que colgaba de un clavo de la pared.

Yo estaba nerviosa y hasta un poco azorada, como deben de estar las chicas decentes cuando van con un señor por vez primera.

No deja de ser curioso observar cómo el enamoramiento hace revivir el pudor incluso en las personas más impúdicas. Porque mi pudor, dicho sea con la debida tristeza, se había ido a freír espárragos hacía mucho tiempo. Y sin embargo, al enamorarme de Jim, volvió a florecer en mí —valga la cursilería— como revive milagrosamente una flor marchita. Hasta me puse colorada como un cangrejo cocido cuando él, simbólicamente, me desabrochó el primer botón de la blusa para recordarme lo que habíamos ido a hacer allí.

Mi corazón, que hasta entonces nunca se había alterado ni pizca en parecidas circunstancias, empezó a trotar como un borrico. Noté también que un ligero tembleque agitaba mis manos cuando las acerqué a los botones para continuar la labor de desabroche.

Pero aquellos momentos, llenos para mí de una emoción completamente nueva, fueron interrumpidos por el sobresalto de unos fuertes golpes dados en la puerta.

—¿Qué ocurre? —preguntó Jim en voz alta, fastidiado

65

por la interrupción—. ¿Quién es?

—¡Yo! —dijo la voz de la dueña, muy agitada—. ¡Abran un momento!

—¿Para qué? —quiso saber mi acompañante, acercándose a la puerta.

—¡Es urgente, por favor! —suplicó doña Pascuala, suavizando su vozarrón para que la súplica surtiera efecto.

Jim descorrió de mala gana el pestillo y la dueña entró como una tromba.

—¡Las llaves! —dijo precipitándose a coger el gran llavero colgado de la pared—. ¡El sereno que duerme aquí de día, ha olvidado las llaves de todos los portales que tiene que abrir!

Y murmurando una excusa por habernos interrumpido, salió con el llavero a toda velocidad.

Volvimos a quedar solos. Jim se precipitó a abrazarme para hacerme recuperar la temperatura adecuada, pues yo me había enfriado con la interrupción.

—Creo que estoy empezando a quererte —me dijo en voz baja, aproximándome a la oreja su bigotuelo, que hacía cosquillas como un pincelito.

—Yo empecé en cuanto te conocí —le confesé, ofreciéndole mis labios.

Para muchas mujeres esta oferta carece de importancia, pues dan la boca como quien da la mano. Pero para mí es importantísimo, porque siempre he sido muy poco besucona. Sólo cuando he querido de verdad, me he dejado besar con gusto. Y es lógico; porque el beso necesita caldearse con el chispazo de la atracción amorosa, para que no resulte una porquería. En frío es repelente. Se da una cuenta de que no pasa de ser un contacto viscoso y antihigiénico.

Aparte de la repugnancia que inspira, hay que contar también con los riesgos que se corren. A mí misma, sin ir más lejos, un señor de Lugo muy besucón me contagió hace años una estomatitis que me duró tres meses. Y a otro de Bilbao, le saqué con la lengua un empaste de la muela del juicio que acababa de hacerle el dentista.

Estos ejemplos demuestran que, para que el beso no sea un peligro ni un fracaso, hay que estar majareta por el tipo que nos besa. Como yo lo estaba por Jim. Por eso, cuando él me besó, no sentí un repeluzno de asco, sino un hormiguillo de deseo.

Aquélla fue, que yo recuerde, una de las noches más felices de mi vida. Tan feliz que doña Pascuala, mucho después del amanecer, tuvo que cocear la puerta como una mula para advertirnos:

—¡Vamos, tórtolos! ¡Hay que levantarse, porque los serenos llegarán de un momento a otro a ocupar las habitaciones!...

PEDAZO 10

AUNQUE LOS AÑOS me han vuelto un poco cínica, pues el cinismo es un callo protector que se nos va formando en la sensibilidad a todas las de mi sindicato, sigo pensando que el amor no es ninguna tontería. De veras. Cuando siente una el picotazo del enamoramiento, se pasa chanchi. Todas las cosas del mundo, incluso las más feas, las encontramos preciosas.

Para poner algunos ejemplos, vulgares pero eficaces, diré que hasta los orinales nos parecen floreros. Y las tumbas para morir, cunas para nacer. Y los crepúsculos, auroras. Y los señores que gruñen, ángeles que cantan. Y todo así de bonito.

Esa misma visión optimista del mundo circundante, la tuve yo cuando me chiflé por Jim. Pasear con él en autobús era como hacerlo en carroza con un príncipe. Comer a su lado una ración de gambas era como darse un atracón de langostinos. Y cuando nos separábamos, porque él tenía que ir a ocuparse de sus misteriosos negocios, yo seguía pensando que la vida era maravillosa: que el sol brillaba más; que la gente era menos malvada; que los hombres no eran tan guarros...

Siempre estaba deseando que transcurrieran de prisa las horas que no estaba con él, para verle de nuevo y preguntarle:

—¿Me quieres?

Porque me gustaba oír esa respuesta que me daba invariablemente:

—¡Claro, estúpida! ¿Crees que si no te quisiera seguiría aguantándote?

Pero me lo decía con ternura, aunque empleaba ese lenguaje para no perder ante mis oídos su personalidad de «duro».

Tan colada estaba yo por él, que suprimí por completo mis salidas nocturnas en busca de trabajo. Y el resultado fue que, al pagar a la patrona la cuenta de la semana siguiente, me quedé sin una perra.

—¿No podrías darme esa colocación de que me hablaste? —le dije a mi novio—. Los ahorros que tenía se me han acabado, y necesito ponerme a trabajar.

—Creí que aún te quedaba dinero —gruñó él, echando mano a su cartera.

Pensé por un momento que iba a darme una cantidad que me sacara del apuro, pero lo que sacó de la cartera fue un papelito con un nombre y una dirección.

—Preséntate mañana en estas señas —me explicó—, y di que vas de mi parte. Hablaré hoy mismo con esta persona para anunciar tu visita, y te dará la colocación.

—¿Qué clase de colocación? —quise saber.

—Algo así de señorita de compañía.

—¿Para niños?

—No —aclaró Jim—. Para vieja.

Tuve el valor de sonreír, aunque la noticia no me hizo ninguna gracia. Después de ejercer un oficio como el mío, algo sucio, pero muy independiente, cuesta trabajo sujetarse a la tiranía medieval del servicio doméstico. Pero el amor hace milagros. Y yo quería tanto a Jim, que acepté pensando en él aquella vuelta a mis tiempos de esclavitud mal retribuida.

«Puede que esta colocación —pensé satisfecha— sea una oportunidad que me brinda el destino para que me convierta de nuevo en una chica pobre, pero honrada. Puede que así Jim me quiera más, y acabemos casándonos algún día...»

Lo cual demuestra que se puede ser furcia sin dejar de ser mema. Porque hace falta una dosis muy gorda de memez para pensar que una vida completamente descarrilada puede volver a encarrilarse con el leve empujoncito de un amorío. Hay que ser muy ilusa también para creer que el destino, que es tan bruto, va a perder su tiempo proporcionando oportunidades de orientarse a las muchachas perdidas.

No obstante, como entonces yo no tenía la mala baba que ahora tengo para urdir las consideraciones pesimistas que acabo de hacer en el párrafo anterior, fui llena de ilusión al día siguiente a las señas que Jim me había dado: calle del Padre Cardona, 7.

La calle era corta, estrecha y de poco tránsito rodado. Como en sus aceras había muchos niños jugando, pensé que quizás el «Padre Cardona» que le daba nombre no fuera un cura, sino un padre de familia numerosa que vivía por allí y no paraba de aumentar su prole.

El número 7 era una casa antigua, de tres pisos y pico. (El pico lo hacía el tejado, que era puntiagudo y tenía una buhardilla debajo.) Cada piso hacía ostentación de dos balcones opulentos y redondeados, que sobresalían de la fachada como un par de hermosas tetas sin sostén.

El portal tenía las dimensiones de una capilla y era todo él de esa piedra blancuzca, con vetas de suciedad, que la gente llama mármol. Al fondo estaba la cabina del ascensor, tan dorada y encristalada que parecía el camarín que hay en los altares para guardar el copón.

Como el papelito que me dio Jim no indicaba en qué piso vivía la señorita Alberta Laguna, a la que yo debía visitar, llamé respetuosamente a una puertecilla que vi en el interior del portal. Daba la sensación de ser la de la sacristía, pero era en realidad la de la portería. Y tan sugestionado estaba yo por el ambiente circundante, que el portero que salió a atenderme me pareció un sacristán.

—Segundo piso —me informó contestando a mi consulta—. ¿Es usted por casualidad alguna enfermera que mandan del manicomio?

—No —me apresuré a negar—. ¿Por qué lo dice?

—Por nada, por nada —quitó importancia el portero a su comentario—. Puede usted subir.

Y encogiéndose de hombros desapareció en la portería, en cuyas profundidades viven aletargados todos los porteros junto a la caldera de la calefacción central.

A mí, la verdad, esa pregunta que me hizo aquel tiparraco me asustó un poco. ¿Es que en el piso de la señorita Alberta Laguna eran frecuentes las visitas de enfermeras procedentes de manicomios? ¡Pues vaya! ¡Menuda colocación me había buscado Jim! ¿Sería una casa de locos?

Resolviendo en mi caletre estas cuestiones, subí por la escalera al segundo piso. No me atreví a entrar en el ascensor por parecerme una irreverencia, pues ya dije que me recordaba el camarín de los altares. Y cuando llegué frente a la puerta del segundo, me puse a buscar el timbre para llamar. Lo busqué a ambos lados de la puerta, que es donde suelen ponerse los botoncitos de esos chismes que se aprietan y suenan. Pero allí sólo había una superficie lisa de cal y canto. Había también, sobre un pedestalito a la derecha del umbral, un angelote de bronce completamente en cueros. Bueno; completamente no, pues algo le tapaba sus cosas de niño: una de esas piezas que ahora se llaman «monobikinis», que antes se llamaron «taparrabos», y que siempre debieron llamarse «tapapitos».

En vista de que no encontraba el timbre por ninguna parte, cerré los puños y me puse a aporrear la puerta. Y al tercer aporreo, la puerta se abrió de pronto. Tan de pronto, que si no llego a detener bruscamente los puños en el aire, hubiera aporreado a la mujer que me había abierto.

—¿Es que no sabe usted tocar el timbre? —me dijo muy enfadada.

—Cuando no lo encuentro, no —contesté muy tranquila.

—Pues está muy a la vista, fíjese —añadió señalando la estatuilla de bronce, justo encima del «tapapitos»—: en el ombligo del angelote, rica. ¡En el ombligo del angelote!

Mirando bien la tripa desnuda del alado nene, se observaba en efecto un botoncillo que sobresalía en el sitio donde todos tenemos ese agujerín redondo. Pero el hecho de instalar el timbre en un sitio tan raro, no contribuyó a tranquilizarme respecto a la salud mental de la inquilina del piso.

La mujer que me abrió era una cocinera achaparrada, metida en carnes y en pescados. Las carnes las llevaba encima, recubriendo su esqueleto; y los pescados debió de dejarlos en la cocina después de trajinar con ellos, pues sus manos apestaban a escamas y entrañas de peces crudos. Iba envuelta en un mandilón blanco, con huellas sangrientas de pasadas matanzas, y coronada por un moño gris con más horquillas que pelos.

—¿Vive aquí la señorita Alberta Laguna? —pregunté

a la apestosa chaparra.

—Sí —me gruñó—. ¿Es usted la nueva chacha?

—Chacha no es la palabra exacta —corregí con finura—. Vengo recomendada por don Manuel Jiménez, para una plaza de señorita de compañía.

—Aquí sólo hay una plaza de chacha. Pero si usted quiere llamarla así... —dijo la cocinera encogiéndose de hombro—. Pase y sígame.

La seguí y atravesamos un vestíbulo de esos que la gente culta, no sé por qué, llama «jol». Como aquél era pequeño, más que un «jol» era un «jolín». (Ya sé que parece una grosería; pero ¿qué culpa tengo yo de que esa palabreja tenga un diminutivo tan ordinario?)

El «jolín» estaba ocupado totalmente por dos trastos del año de la pera: un barreño y una cáscara de militar antiguo. El barreño era un mueble cuadrado, con muchos cajoncitos para guardar cosas pequeñas y unas patas más largas que las de una zancuda.

(Pensándolo bien, creo que «barreño» no es el nombre exacto de ese trasto viejo. Me parece recordar que en su ortografía interviene una «g» después de la primera sílaba, pero no estoy muy segura. Y en la duda, prefiero no ponerla. El que sepa el emplazamiento justo de esa letra, puede recortar esta «g» que le doy suelta y meterla dentro del «barreño». Gracias.)

Al releer estos papeles, pienso también que quizá lo que yo llamo «cáscara de militar antiguo», tenga un nombre en el diccionario que mi ignorancia desconoce. Estoy segura, sin embargo, que todos habrán entendido lo que quise decir. Me refiero a esa funda protectora de hojalata que se ponían los soldados históricos para que no les pincharan las espadas ni les doliesen los cachiporrazos. Esas latas de conserva individuales, hechas para conservar al ejército, se emplean mucho en las casas rancias, para decorar los «joles» y «jolines».)

Siempre detrás de la cocinera, llegué a un salón grande y caro. Digo caro, porque en sus paredes había pinturas negruzcas, confusas y descascarilladas, de esas que lo mismo pueden representar un santo que un bisonte. El suelo estaba cubierto por una alfombra antiquísima también, que tenía mucho mérito según supe más tarde: el dibujo representaba el paso de la caballería persa por un desfiladero.

—Pero ¿dónde está la caballería? —pregunté a la cocinera unos días después examinando atentamente la gastadísima alfombra, en la que sólo se veía la trama carcomida por los siglos.

—Pareces tonta —me explicó la cocinera—: no hay que ser muy inteligente para deducir que la caballería ha pasado ya. ¿Quién te crees que dejó la alfombra tan rota y pisoteada? Pues los cascos de los caballos.

Encima de esta alfombra había un sofá, y encima de este sofá había una mujer. El sofá se veía sin esfuerzo, porque era grande y marrón como un hipopótamo. Pero para ver a la mujer había que esforzarse un poco, pues llevaba un vestido de un color muy semejante a la tapicería del mueble y se confundía con él. Yo me esforcé bastante, gracias a lo cual pude observar que la individua no era joven, pero tampoco vieja. Tenía esa edad intermedia que va desde los cuarenta a los sesenta, dentro de cuyos límites los años que aparentan las mujeres sólo dependen de su instituto de belleza. Hay sesentonas que a fuerza de cremas y masajes logran quitarse tres lustros, y cuarentonas que por falta de cuidados llegan a parecer sus propias madres.

En el caso de la señorita Alberta —pues ella era la ocupante del sofá—, el establecimiento embellecedor se había excedido en su pretensión de rejuvenecerla. Porque puede permitirse que a una señorita tallada se le pinte la fachada para quitarle algunos añitos; pero resulta ridículo pintarrajearla pretendiendo que parezca una chavala.

Y esto es lo que habían hecho con aquella pobre Alberta: me la habían rizoteado el pelo desde el flequillo al cogote, poniéndole después un par de lazos en todo lo alto como si fuera una muñeca. Luego le revocaron la cara con unos polvos blancos como el yeso, y le adhirieron a los párpados unas tiras de pestañas postizas tan largas como flecos de toalla. El resultado de todos estos aditamentos, como puede suponerse, era lamentable.

—Señorita —anunció la cocinera señalándome—, esta muchacha viene de parte del señor Jiménez.

—Que se siente y espere a que terminemos la cuenta

de la compra —ordenó la pintarrajeada sin mirarme.

Yo obedecí. Me senté tímidamente en el borde de una silla; en parte por respeto, y en parte también porque la silla era tan antigua que no daba la sensación de poder resistir mi peso si me sentaba de golpe en ella. Y la señorita reanudó un diálogo con la cocinera que mi llegada había interrumpido:

—¿Dónde estábamos? —dijo consultando un papel estrecho y largo que tenía en la mano.

—En las sardinas —puntualizó la cocinera.

—Es verdad. ¿A ver?... Sí, aquí están: «Sardinas, treinta». Pero ¿qué significa este «sesenta» que ha puesto a continuación?

—Lo que me costaron.

—Entonces —se extrañó la señorita—, ¿qué quiere decir el treinta?

—Que compré treinta sardinas. La primera cifra indica las unidades del producto, y la segunda el precio.

—Pero ¡qué barbaridad! —se escandalizó Alberta—. ¿Cómo se le ocurrió comprar tantas sardinas? ¡Ni que fuéramos a poner un acuario!

—No son tantas —discutió la cocinera—. Si se queda esta chica que viene a pretender —añadió señalándome—, tocaremos a diez sardinas por barbilla.

—¿Y a qué se debe que unos pececillos tan ordinarios le costaran ese dineral?

—No sé —dijo la subordinada encogiéndose de hombros—. Quizá sea porque ha habido temporal en el Cantábrico.

—¿Y eso qué tiene que ver?

—Que ya lo dice el refrán: «a río revuelto, ganancia de pescadores».

—No supondrá que me voy a creer esa bobada. ¿Se figura que soy tonta?

—Sí, señora.

Pero Alberta no debió de oír esta última respuesta, porque había vuelto a absorberse en la lectura de la cuenta.

—¿Qué pone aquí? —dijo descifr ndo un renglón del papelito—. ¿«Arroz, mil»?... ¡Cielo santo! ¿Ha comprado mil pesetas de arroz?

—No, mujer —aclaró la cocinera armándose de paciencia—. Ya le he dicho que el primer número indica la cantidad: he comprado mil granos.

—¿Y desde cuándo venden el arroz por granos? —desconfió la señorita, que tenía relámpagos de lucidez en medio de su despiste.

—En la tienda donde yo lo compré, desde ayer —dijo la subalterna, con una desfachatez que me asombró—. Debe de ser una nueva costumbre que han traído los americanos.

—¿Y por mil insignificantes granitos pagó treinta y ocho pesetas?

—A mí también me pareció caro —admitió la cocinera—. Pero por no ponerme a discutir...

—Mire, monina —dijo con finura la señorita—. Es usted muy astuta, pero yo tampoco soy manca. Y le advierto que todos estos excesos de su contabilidad, se los descontaré de su sueldo a fin de mes.

—¿Sí? —graznó la chaparrita—. Pues a este paso, me voy a arruinar.

—¡Cuidadito con descararse, cocinera! —previno Alberta—. ¿Qué quiere decir con eso?

—Que desde que entré en la casa, no sólo me descuenta usted el sueldo íntegro, sino que casi siempre tengo que darle dinero encima.

—¡Pues claro! Porque casi siempre, también, sus mangancias arrojan un saldo a mi favor.

—Por eso me aconseja mi novio que deje esta colocación —dijo la cocinera.

—Y yo le aconsejo, en cambio, que deje usted a ese novio —replicó Alberta—. Sus relaciones con él no me gustan nada.

—¿Por qué? Es un hombre muy formal: está casado como Dios manda, y tiene tres hijos.

—¡Y lo dice tan fresca! —observé que se indignaba la señorita—. Ésta es una casa decente y no consiento inmoralidades de ninguna clase. Además, piense usted en su pobre papá.

—¿En cuál? —preguntó la cocinera—. Porque según dicen en mi pueblo, tuve varios.

—Me refiero al que está en la cárcel. ¿Qué va a decir cuando le suelten y se entere de que su hija no es tan pura como supone?

—¡Ahí va! —volvió a descararse la achaparrada—. Si

fuera a conservar mi pureza hasta que salga de la cárcel, aviada estaría: le han condenado a veinte años y tres meses...

—¿Y cuánto tiempo de la condena ha cumplido ya?

—Los tres meses. De manera que, ¡échele hilo a la cometa!

—Ande, ande, retírese —ordenó la señorita—. Me pone usted nerviosa con su desfachatez. Además —añadió señalándome—, tengo que atender a esta muchacha.

—Está bien —dijo la cocinera de mala gana, dirigiéndose a la puerta—. Termine usted sola de revisar la cuenta, y ya me dirá lo que le debo.

Y salió del salón bastante enfadada.

—Acérquese —me ordenó la señorita desde el sofá, añadiendo mientras yo me acercaba—: El cinismo de esta cocinera es cada día mayor. Figúrese que ayer la mandé a comprar un sello de cincuenta céntimos, y me cobró sesenta.

—Más que cínica, es tonta —opiné yo—. No sabrá que en los sellos pone siempre lo que valen.

—¡Claro que lo sabe! Y eso es lo que me indigna precisamente: que para engañarme, corrigió el cinco con un lápiz y puso un seis.

—¡Qué bárbara!

—Pero hablemos ahora de usted —dijo cambiando de tono—. ¿De manera que la recomienda Manolín?

—¿Quién? —pregunté, pues el diminutivo me pilló de sorpresa.

—El señor Jiménez —aclaró la dueña de la casa—. Me ha dicho que es usted una chica muy dispuesta. Y esta cualidad es muy importante, porque para trabajar aquí hay que estar dispuesta a todo. Yo pago bien, pero exijo mucho, ¿comprende?

—Sí, señorita —dije con la humildad propia de las servidoras domésticas—. Haré todo lo que me mande.

—Eso dicen todas —suspiró ella—, y ninguna aguanta más de un mes. Porque le advierto que es usted la octava que tomo en lo que va de año. Pero confío en que no me fallará. Siendo prima del señor Jiménez...

—¿Prima? —repetí un poco extrañada.

—Bueno, lejana. Ya me explicó él que usted pertenece a una rama pobre de su familia. Pero por remoto que sea el parentesco, siempre es una garantía saber que se tiene en casa una persona de confianza, ¿no le parece?

—Sí, claro —le di la razón, sin comprender por qué Jim había inventado ese cuento de que éramos parientes.

¿No habría sido más sencillo decirle a aquella loca la verdad? Pero yo me callé, pensando que ya me explicaría él los motivos que tuvo para contar esa mentira.

—Pues en vista de que estamos de acuerdo —concluyó ella—, puede usted quedarse y empezar a trabajar.

—Muy bien —acepté—. ¿Qué tengo que hacer?

—De momento venga conmigo al saloncito de música —dijo levantándose del sofá—, y ayúdeme a pasar en el atril las hojas de la partitura. Todos los días a estas horas, practico un poco.

—¡Ah! ¿La señorita toca el piano? —pregunté.

—No —respondió ella—. Toco la trompeta.

PEDAZO 11

No ERA UNA BROMA, no: la señorita Alberta, en efecto, tocaba la trompeta. Y aunque yo tengo peor oído que una almeja, casi me atrevo a asegurar que la tocaba bien.

Pero al oír su primera sesión, empecé a comprender por qué el portero me había preguntado si me enviaba algún manicomio. Porque los trompetazos de aquella individua eran tan enloquecidos como enloquecedores. Parecía mentira que una persona tan delgaducha, con una caja torácica tan pequeña como una caja de zapatos, tuviera semejante capacidad en los pulmones. Porque la tía, cuando se liaba a soplar, soplaba con la potencia de un huracán. Las paredes temblaban y los cuadros se retorcían. Pero a ella no le importaba.

—Siento la música en lo más recóndito de mi ser —me decía cuando terminaba de interpretar un pasodoble, pues los pasodobles eran sus piezas favoritas—. Cuando me llevo a los labios la boquilla de mi trompeta, me abstraigo por completo. Con los ojos entornados, me remonto a regiones superiores a las que sólo tienen acceso los artistas. Y en esas regiones, floto. Sí, Mapi: floto dulcemente, mecida por deliciosas melodías que hacen vibrar mi espíritu. En esos instantes, mientras fluyen caudalosamente las notas del instrumento, caigo en un trance artístico y pierdo la noción de lo que sucede a mi alrededor: no veo a nadie, no oigo nada...

—Bueno —comentaba yo, siempre realista—: eso de que no oiga nada, es natural. ¿Quién sería capaz de oír algo con el estrépito de los trompetazos?

—Admito que la trompeta es un poco ruidosa —reconocía ella— y que no es frecuente que la toque una señorita de mi posición social. Lo lógico sería que yo tocase el piano, como solían hacer en mis tiempos todas las chicas de mi edad. Pero las circunstancias de mi vida me lo impidieron. Algún día le contaré la razón de que yo no sea pianista, sino trompetera.

Y aquel día no tardó en venir, porque la señorita Alberta tenía poco que hacer y muchas ganas de charlar. Y ésta fue, salvo error u omisión, la historia que me contó:

—Casi se puede decir que yo no tuve madre. Porque tenerla solamente los nueve meses de mi gestación, como la tuve yo, viene a ser lo mismo que tener un tío en Alcalá. Ella y yo hicimos como en las carreras de relevos: mi madre me entregó la antorcha de la vida, y yo empecé a correr por el mundo mientras ella se detenía definitivamente.

—¡Qué bien habla la señorita! —aplaudí yo, que la escuchaba abriendo unas orejas como platos—. Hace unas frases, que para sí las quisieran esos charlatanes que pronuncian discursos.

—Gracias, simpática —me agradeció ella, carraspeando antes de continuar—. A mi padre, que era comandante de caballería, todo aquello le hizo montar en cólera.

—¿Por qué? —pregunté.

—Porque tenía dos motivos bastante gordos para encolerizarse: el primero la actitud de mi madre, que había tomado la decisión de morirse sin pedirle permiso. Y ya sabe usted la rabia que les da a los militares que la gente no espere sus órdenes. Y el segundo, el hecho de que yo fuera hembra en lugar de varón. Otro padre cualquiera no habría considerado excesivamente desgraciada esta segunda circunstancia. Tener una niña, al fin y al cabo, es un hecho frecuente en la reproducción de los seres humanos; hecho que los matrimonios aceptan sin tirarse de los pelos. Pero mi padre era un rudo comandante, con unos tremendos bigotes que hacían temblar al guripa más macho. Y no le pegaba nada tener que ocuparse personalmente de criar a una niña. ¿Se lo imagina usted conmigo en brazos, de uniforme y oliendo a estiércol, dándome un biberón o cantándome una nana?

—¡Qué espectáculo! —exclamé yo, después de habérmelo imaginado.

—El pobre, por mi culpa —prosiguió la señorita—, pasaba unas vergüenzas espantosas. ¡Un tiazo como él, obligado a vigilar el horario de mis papillas y la humedad de mis pañales! ¡Un comandante de caballería convertido en ama de cría!

—Comprendo que su señor papá —admití— se sintiera acomplejado.

—Acomplejado y amariconado —añadió Alberta—. Porque para acentuar más aún el afeminamiento de su ridícula situación, yo era niña.

»Si fueras niño, condenada —me decía rabioso—, tendría al menos la justificación de estar criando a un futuro soldado. Pero siendo niña, ¿cómo justifico en el cuartel estar perdiendo mi tiempo dándote papillita?

»Esto fue lo que le movió a educarme como a un chico. Para atenuar un poco su desgracia, lo primero que me enseñó en cuanto aprendí a tenerme en pie fue la instrucción militar.

»—¡A formar! —me gritaba como un energúmeno entrando en mi cuarto—. ¡Firme!... ¡Media vuelta a la derecha!... ¡De frente, marchen!...

»Y yo no tenía más remedio que obedecer, llorosa y temblorosa. Porque si no, me arrestaba en un cuarto de trastos que él llamaba «el calabozo».

»Más adelante, cuando alcancé esa edad en la que todas las muchachas de mi época aprendían a tocar el piano, yo tuve que aprender la trompeta. Recuerdo que papá lloró de emoción cuando interpreté en su presencia los primeros toques militares que mi profesor me enseñó: «diana», «fajina», «rompan filas»...

»—¡Tú llegarás a ser un buen soldado! —me dijo abrazándome, olvidando en su exaltación que existía un serio impedimento para que su sueño pudiera realizarse: mi sexo.

»Por suerte, mi padre murió poco después como morían entonces casi todos los oficiales de caballería: de una coz.

—¡Por Dios, señorita! —intervine yo, pareciéndome una burrada esta última parte de su relato—. ¿Cómo puede usted considerar una suerte que su padre muriera?

—Porque, gracias a eso, no se llevó el disgusto de

80

ver cómo me negaban el ingreso como cadete en una academia militar. Sólo cuando él murió, pude empezar a ser completamente una mujer. Pero los años de educación cuartelera que me impuso mi papá, me habían creado un complejo de guripa muy arraigado del que tuve que librarme poco a poco. Y cuando al fin logré desarraigármelo del todo, habían transcurrido muchos años. Los mejores de mi juventud. Es triste pensar que mientras todas las muchachas de mi edad salían a bailar y jugaban al amor, yo hacía la instrucción y tocaba la trompeta.

—Es triste, en efecto —admití—. Pero nunca es tarde para encontrar la felicidad.

—No, afortunadamente —suspiró aquella chalada con alivio—. Gracias a Dios, cuando ya había perdido todas las esperanzas, he encontrado un hombre que me ama.

—¿Es posible? —exclamé, poniendo una cara de perpleja que quitaba el hipo.

—Como lo oye —dijo Alberta, más contenta que unas pascuas—. También yo estoy muy enamorada de él, y nos casaremos muy pronto. Pero no puedo darle más detalles, porque llevamos nuestros amores en secreto. Nos vemos a escondidas. Qué romántico, ¿verdad?

A mí, más que romántico, me pareció insólito. ¿Existía verdaderamente un hombre capaz de enamorarse de aquella pachucha? ¡Menudo estómago debía de tener el angelito para tragarse una birria semejante! Quise imaginarme cómo sería el fulano a quien le gustaba aquel «callo a la madrileña», pero mi imaginación era demasiado pequeña para imaginar un disparate tan grande. En vista de lo cual me conformé con pensar que Dios es bueno de verdad, pues siempre crea un remiendo para cubrir un roto.

Me alegré de que el roto feísimo que era la señorita Alberta, hubiese encontrado el remiendo de un tío que lo cubriera. Porque yo, que entonces estaba enamoradísima también, comprendía hasta qué punto el amor es importante para ser feliz en este cochino mundo. Tan importante, que yo no era la misma desde que quería a Jim. Prueba de ello es que cambié sin vacilar mi mala vida de furcia, por otra de criada; que era peor económicamente, pero mucho más decente.

Tanto me sorbía el seso aquella pasión, que hasta decidí renunciar a rajatabla al oficio de buscona para convertirme en una esposa formal. Esposa, sí. Como esas que se entregan a un hombre único envueltas como paquetes en trapos blancos, y sólo se acuestan con él. Como esas que pasean orgullosas sus grandes tripas en las que están elaborando un chaval. Como esas que envejecen dulcemente junto a sus maridos, y mueren en la misma cama que estrenaron con él.

¡Hay que ver lo que hace cambiar la mentalidad el enamoramiento! La buena chica que pude ser y no fui, revivía en mi alma con aquella inyección amorosa. Soñé con tener eso que se llama un hogar, y que consiste en cuatro paredes con un hombre dentro. Soñé con tener muchos hijos de Jim, y con darles la leche de mis pechos que hasta entonces sólo habían servido para que los tocaran unos cuantos libidinosos. Soñé con poder hablar de mi marido a las solteronas chismosas de la vecindad, y con poner a secar sus calzoncillos en la cuerda de un patio para que todas pudieran envidiarme. Soñé, en fin, una porrada de cosas bonitas. Y en mis tardes libres, cuando salía con Jim, le contaba mis sueños.

—¿Verdad que te casarás conmigo? —le decía yo mientras él me metía mano.

—Claro, mujer —me prometía él, paseándome los dedos por esa zona de muslo que queda libre justo encima de la media, y que tanto divierte a los novios—. Pero antes tengo que reunir el dinero necesario para la boda.

—¿Y tardarás mucho en reunirlo? —trataba yo de concretar.

—No. En cuanto termine un asunto que tengo entre manos.

—Ese «asunto» no será mi muslo, ¿verdad? —bromeaba yo, aludiendo a su magreo.

—Se trata de un negocio importante, pero hay que tener paciencia. Al fin y al cabo podemos esperar, puesto que te he conseguido una buena colocación. ¿Estás contenta en la casa?

—Sí, aunque la señorita está como una chiva.

Y me ponía a contarle cosas de Alberta, que a él le

divertían horrores. Le conté sus lecciones de trompeta, sus trifulcas con la cocinera al hacer las cuentas de la compra, su afán de parecer joven... Porque la verdad era que aquella insensata suministraba tema para charlar horas enteras.

En salidas sucesivas observé que a Jim, además de divertirle estas insensateces, llegaron a interesarle. Una tarde en que me llevó de excursión al campo, después de que hicimos nuestras cosas sobre la colcha de hierba que cubría un prado, me dijo mientras descansaba panza arriba:

—¿Cómo sigue tu señorita?

—Últimamente, está contentísima. Hasta tolera que la cocinera le sise a mansalva, sin discutir. Se pasa el día en la modista, encargándose trajes nuevos. ¡Figúrate! «Aunque la mona se vista de seda»... ¿Y sabes de dónde le viene esa alegría?

—Ni idea.

—Pues asómbrate: ¡de que tiene novio!

—¿Es posible?

—Como lo oyes. Y asómbrate más todavía: ¡se va a casar!

—No lo creo.

—Me lo ha dicho ella misma. ¿Tú no lo sabías?

—¿Yo? —dijo Jim mordisqueando un hierbajo que arrancó del campo—. ¿Y por qué iba a saberlo yo?

—Porque tú debes de conocerla bien. Gracias a ti me dio la colocación.

—Bien no la conozco —me explicó él—. Era amiga de mi familia. Yo, en realidad, la he tratado muy poco.

—¿Y por qué le dijiste que yo era prima tuya? —aproveché para aclarar aquel embuste.

—Me pareció que así surtiría más efecto la recomendación.

—Podías haber dicho la verdad: que soy tu novia.

—Sí, claro. Pero pensé que inventando un parentesco, me haría más caso. Y ya ves que no me equivoqué: estás colocada. Lo que debes hacer ahora es convertirte en su persona de confianza. Alberta es muy rica, y algún día puede dejarte un buen pellizco de su fortuna.

—¿Cuándo?

—Pues cuando se muera.

—¿Y por qué va a morirse? —dije extrañada.

—Todo el mundo se muere algún día, ¿no?

—Pero ésa tiene aún cuerda para rato. Además, si ahora se casa...

—No te preocupes: no se casará

—¿Cómo lo sabes?

—No lo sé, pero lo sospecho. Me parece imposible que haya un tío capaz de cargar con esa birria.

—Pues la birria parece estar muy segura de haberlo encontrado.

—No te fíes y hazme caso: sigue trabajándote a la vieja, y ya verás cómo sacas tajada.

Yo le obedecía, porque ya dije y lo repito que estaba loca por él. Y daba coba a la señorita Alberta, la cual llegó a sentir mucho afecto por mí. Me regaló varios trajes suyos, que ella no usaba y que yo tampoco me atreví a usar porque eran feísimos. Pero se los vendí de tapadillo a un trapero, y saqué buenas perras.

Una noche, la señorita volvió de su «rendevú» con su novio más alegre que de costumbre.

—¡Mapi querida! —me dijo abrazándome—. ¡Al fin! ¡Mis amores secretos han terminado! ¡Hoy hemos fijado la fecha de nuestra boda! ¡Nos casaremos el jueves de la semana próxima!

—Enhorabuena, señorita —la felicité un poco perpleja, pues a mí me pasaba lo que a Jim: que no creía en la existencia de un fulano con agallas suficientes para cargar con esa mochuela.

—¡Dígaselo a la cocinera! —prosiguió ella muy excitada—. ¡Y al cartero! ¡Y al chico de la tienda! ¡Y a todo el mundo! ¡Romeo y Julieta ya no tienen que verse de extranjis! ¡Ya podemos lucir nuestro amor a la luz del sol! ¡Alberta se casa!

—Ya era hora —se me escapó a mí.

—¿Cómo dice?

—Que ya era hora de que su noviazgo saliera del incógnito —rectifiqué—. Porque lo han llevado con tantísimo misterio...

—Es que mi novio tiene mucha sensibilidad, y dice que es feo andar exhibiendo por ahí los sentimientos íntimos.

—Estoy de acuerdo con él —dije mirándola de arriba abajo—. Hay ciertos sentimientos que uno se avergüenza de exhibirlos en público. Su novio, además de sensible, es muy inteligente.

—¡No lo sabe usted bien! O mejor dicho —rectificó—, sí lo sabe.

—¿Yo? —me extrañé—. ¿Cómo quiere la señorita que lo sepa, si él nunca ha venido por aquí?

Alberta lanzó una risita juguetona antes de añadir:

—Nunca ha venido, pero usted le conoce.

—¿Yo? —repetí volviendo a extrañarme.

—Sí, mujer —me aclaró—. Ahora ya puedo decírselo: mi novio, con el que voy a casarme, es su primo Manuel Jiménez... Pero ¿qué le pasa, criatura?... ¿Por qué se ha puesto tan pálida?

PEDAZO 12

EL BLANCO DE MI TIMIDEZ dejó paso al rojo de mi indignación. Pero entre estos dos cambios de color, las pasé moradas.

Nunca me han dado un puntapié en los ovarios, pero no creo que el dolor que se experimente al recibirlo sea más intenso que el que yo sentí en aquella ocasión. Creo que si llego a nacer un siglo antes, me habría desmayado como se estilaba antiguamente. Pero ahora, como se toman tantas vitaminas y tanta leche, los disgustos hay que aguantarlos a pie firme y en plena lucidez. Desventajas de la nutrición moderna, ya que cualquiera soporta mejor una mala noticia desmayado que despabilado. Pero no tengo ganas de divagar ahora sobre dietética, pues debo contar una de las decepciones sentimentales que más han influido en mi conducta hasta la fecha.

Yo, cuando me enamoré de Jim, no me había contaminado completamente de prostitución. Me consta que dentro de mí quedaban zonas limpias: o por lo menos zonas no tan sucias aún como para que no pudieran volver a limpiarse con unos cuantos lavados.

Es cierto que ya no era pura, pero todavía no era mala. Seguía almacenando en mí, aunque el almacén no estuviera intacto, buenas dosis de inocencia, ingenuidad e ignorancia. Estaba a tiempo, con estos ingredientes, de rectificar mi rumbo en la vida para dirigirme a un puerto de aguas menos tempestuosas. Pero el timonel en el que confié para que me pilotara en esas singladuras salvadoras, resultó ser un hijo de cualquier compañera mía. Y en vez de anclar al pairo de todos los temporales, me impulsó al epicentro de la tempestad.

(Todos estos términos marineros, y algunos más que no me han cabido y que guardo para meterlos en un futuro párrafo, me los ha proporcionado el capitán de un barco mercante que hizo escala en mi cama el mes pasado. Pero por si alguien no entendió los profundos y dolorosos sentimientos que he querido expresar en las líneas anteriores, cosa probable, pues yo me hago unos líos tremendos en cuanto me meto en esos berenjenales de las metáforas y las prosopopeyas, los resumiré en pocas palabrotas: el desengaño que sufrí con aquel cabrito, me hizo ser furcia definitiva e irrevocablemente. ¿Está claro? Pues adelante.)

—¡Pero guarro! —le dije a Jim cuando fui a buscarle al día siguiente para sacarle los ojos—. ¿De manera que en eso consistía tu aureola misteriosa?: ¡en que eres un chulo de la peor especie!

—Cálmate, cariño —me rogó él, parándome las uñas que ya iban camino de su cara—. Yo te explicaré...

—No tienes que explicarme nada. ¿Crees que no lo he entendido? ¡Vives de las mujeres, so cerdo!

—Por favor, Mapita...

—¡Ni Mapita, ni Maputa! —le corté, forcejeando para soltar las manos, que me había sujetado—. A todas las engañas como a mí. Primero las encandilas, luego te las beneficias, y por último las explotas.

—¿Cómo puedes decir eso precisamente tú? —protestó Jim con voz tan dolida que resultaba conmovedora—. Mi amor por ti es tan desinteresado, que incluso te ayudé a conseguir la colocación que tienes.

—Para sacarme algún día el dinero que yo ganara con mi trabajo —repliqué yo, implacable—. Como hacen todos los chulos. Y ahora me doy cuenta de que ya lo has hecho conmigo en pequeña escala.

—¿Cuándo?

—Casi siempre que vamos juntos a cualquier parte. A la hora de pagar, sueles pedirme algo suelto.

—Es que a veces no tengo cambio —se disculpó.

—Lo que nunca tienes es vergüenza —le corregí—. ¿Y qué pretendes hacer ahora con esa pobre señorita Alberta? ¿Coronar tus fechorías dando un braguetazo definitivo?

—¡Qué disparate! —rechazó Jim—. Yo sólo te quiero a ti.

—Pero te vas a casar con ella. Puede que por eso mismo me hayas colocado en su casa —añadí con sarcasmo, mientras las bilis me corroían la tripa como vitriolo—. ¡Claro, qué tonta soy! Como cuando seas su marido te vendrás a vivir con nosotras, lo tendrás todo a la mano bajo el mismo techo: el dinero en la alcoba de tu esposa, y el amor en el cuarto de tu criada. Ése era tu plan, ¿verdad? ¡Astuto chulo, caramba!

—Estás equivocada —me aseguró él—. Ese plan nunca se me ha pasado por la cabeza, porque jamás pensé en casarme de veras con Alberta.

—Además de chulo, mentiroso —le rebatí—. Sé que la boda está decidida, y que la novia ya tiene preparado todo el equipo. Tú mismo le has dicho que os casaréis el jueves próximo, a las cuatro de la tarde.

—Algo tenía que decir para tranquilizarla, porque no podía prolongar más tiempo esa situación. Como Alberta se impacientaba, para acabar con ella tuve que fijar la fecha de la boda.

—No lo entiendo.

—Porque esa boda no va a celebrarse. Mi ruptura con Alberta se producirá pocas horas antes de la ceremonia, cuando ella se entere de que yo me he fugado contigo.

—¿Conmigo? —dije, amarga y burlona—. Vamos, no sigas mintiendo.

—Es la pura verdad —replicó él, poniéndose más serio que un capirote de una procesión—. ¿No te dije muchas veces que, para que tú y yo pudiéramos casarnos, debía ultimar un negocio que tenía entre manos?

—Sí, me lo dijiste.

—Pues el negocio, pedazo de tonta, era Alberta. Y se ultimará el jueves próximo. Ella va a proporcionarnos el dinero que necesitamos para ser felices. Admito que el negocio es un poco sucio, pero el fin justifica los medios, como dijo Pirandello; o alguien que tenía un nombre parecido.

—¿Qué quieres decir?

—Que el fin eres tú, amor mío.

Labia no le faltaba a aquel charrán. Y como encima de la labia tenía aquel bigote con el que me cosquilleaba hasta hacerme estremecer de gusto, en lugar de sacarle los ojos acabé dándole la lengua. Porque vuelvo a repetir que yo estaba chifladísima por él. Y una mujer en esas condiciones, está dispuesta a tragarse mentiras mayores que ruedas de molino como si fuesen aspirinas.

«Puede que esté diciendo la verdad», dudé.

Y en la duda, decidí darle un margen de confianza hasta el jueves siguiente. Tanto le quería, que no me importaban todas las charranadas que hiciera a la señorita Alberta con tal que se casara conmigo. La vieja trompetera me traía sin cuidado. Allá ella con su trompeta. Al fin y al cabo era rica, y ni su fortuna ni su corazón sufrirían gran cosa con el golpe que les diera Jim. Yo estaba ciega por él, y le seguiría adonde él me llevase, como un ciego a su lazarillo.

—Verás como ocurre exactamente lo que yo te he prometido —susurró Jim meneándome el bigote cerca de la oreja.

—Lo veré el próximo jueves —dije yo, sacando fuerzas de flaqueza para apartarme de aquellos pelines tan excitantes.

PEDAZO 13

Y EL JUEVES SIGUIENTE llegó, porque el calendario es un mamón que no para de correr caiga quien caiga.

El otoño, que ya andaba por los alrededores ensayando ventoleras y chubascos para presentarse al público de Madrid, eligió ese jueves precisamente para hacer su presentación oficial. Y el día amaneció tan triste, que al subir las persianas casi me dieron ganas de llorar.

El cielo estaba más sucio que la bayeta de un limpiabotas. Además, llovía a mala idea. Quiero decir con esto que la lluvia no caía mansamente, de arriba abajo como estaba mandado, sino de un lado a otro llevada por ráfagas de aire para azotar la cara a la gente. Y a mí que no me digan que esta forma de llover no tiene mala idea, pues anula la eficacia de los paraguas. Porque estos chismes evitan la mojadura de las gotas que caen desde lo alto, pero no de las que vienen de costadillo.

Si a estos pajoleros chaparrones con tan mala uva añadimos que los termómetros bajaron como si alguien les hubiera robado el mercurio, nadie dudará de que aquel jueves había amanecido tristón para todo quisque. Menos para Alberta, claro, que estaba más contenta que unos carnavales.

(Lo digo así porque la alegría me parece más propia de la señorita Alberta, que iba siempre vestida de máscara.)

A las ocho de la mañana ya estaba en pie la infelizota, canturreando y correteando por toda la casa. Se había puesto lo que ella llamaba un «salto de cama»; que a mi juicio debía llamarse un «salto de avión», pues era una prenda que tenía tantos metros de seda como un paracaídas.

—Hoy es el día más feliz de mi vida —me dijo mientras yo la echaba de desayunar.

—Por ahora —murmuré yo para mi capote.

—Mientras yo me arreglo —me ordenó después—, vaya haciéndome la maleta. Sólo llevaré una, con lo indispensable.

—Hace usted bien —me burlé yo—. Llevar mucho equipaje es una tontería. En el viaje de bodas no interesa la ropa que la novia se pone, sino la que se quita.

—¡Por favor, Mapi! —pestañeó la tía, ruborizándose—. Tenga en cuenta que aún soy soltera, y no puedo oír ciertas cosas.

Mientras la señorita se arreglaba, tarea difícil porque tenía poco arreglo, fui metiendo en la maleta todas las prendas que ella misma había seleccionado en un montón. Pero o el montón era muy grande, o la maleta muy pequeña. El caso fue que al final, cuando intenté cerrarla, no había forma. Tuve que pedir ayuda a la cocinera, que acudió de mala gana murmurando que cerrar maletas no era su obligación.

—Deje de protestar y écheme una mano.

Mientras me la echaba y forcejeábamos las dos, empezó a filosofar:

—Todas las maletas resultan pequeñas a la hora de llenarlas. Parece que encogen de estar vacías tantos meses. Como los estómagos, cuando llevan mucho tiempo sin comer.

Como la mano que me echó no bastaba, pedí a la cocinera que me echara una nalga.

—¿Qué quiere usted decir? —me preguntó, desconcertada.

—Que se siente encima de la maleta, mujer.

La rechoncha se sentó, pero ni siquiera el peso de toda su rechonchez fue suficiente para lograr mi propósito. En vista de lo cual, decidí suprimir algo del contenido para que cerrara el continente.

—Vamos a ver... —dije abriendo la maleta y buscando en su interior—. Estas novelas abultan una barbaridad: *Lo que el viento se llevó, Los seis mosqueteros...*

—¿Seis? —me interrumpió la cocinera—. Querrá usted decir tres.

—Es que la edición tiene dos tomos, y yo los sumo —expliqué con desparpajo.

—No me explico que la señorita se lleve tantos novelones a la luna de miel —observó la cocinera, que, aunque lerda, tenía relámpagos de inteligencia en la oscuridad de su lerdez.

—Es que a ella le gusta leer en la cama.

—Pero en este viaje, cuando se vaya a la cama, no será precisamente para leer. Vamos, digo yo.

Por mi parte, como estaba segura de que aquel viaje no se realizaría, suprimí los libros del equipaje y cerré la maleta sin añadir ningún comentario. Pero, ¿estaba verdaderamente segura de que no habría ni viaje?... Lo estuve hasta la noche anterior, esperando que Jim cumpliría lo que me prometió. Pero a medida que avanzaba la mañana del día señalado sin que nada ocurriera para suspender los acontecimientos previstos, empecé a tener dudas.

¿Y si el muy sinvergüenza había vuelto a engañarme?

¿Y si después de todo se casaba con la birria de la trompeta?

Ya era casi mediodía, sin que Jim diera señales de vida en ningún sentido: ni para provocar su ruptura con Alberta, ni para preparar su fuga conmigo.

Sumida en estas preocupaciones estaba yo, cuando la señorita salió del baño envuelta en un albornoz verdemar.

—¡Mapi! —me dijo preocupada—. ¡Me olvidaba de *Don Pío*! ¡Tengo que llevarme a *Don Pío*!

Don Pío era un canario tan viejo y apolillado, que ya no decía ni pío.

—¿Para qué? —dije yo.

—Él ha sido el compañero de mi soledad; el que alegró mi tristeza con sus gorgoritos. Quiero que participe de mi dicha.

—¿Y dónde piensa llevarlo? —intervino la cocinera—. Si lo mete en la maleta, se ahogará.

Yo, que empezaba a estar nerviosa y harta de tanta tontería, sugerí:

—Sáquelo de la jaula y llévelo en la mano.

—¡Qué atrocidad! —rechazó Alberta—. Si cierro la mano con fuerza, lo aplastaré. Además, ¿qué diría mi marido?

—Si de usted no ha dicho nada —gruñí—, pasará también el pájaro.

—Eso me ha olido a impertinencia —husmeó la señorita arrugando la nariz—. ¿Qué ha querido decir?

—Nada —rectifiqué—. Que él sabrá hacerse cargo. Todas las mujeres son caprichosas.

—Pensándolo bien, aunque me duela, será mejor que no lleve a *Don Pío* —decidió al fin—. El pobre ya está bastante decrépito, y un viaje así podría serle fatal. Ahora recuerdo que su antecesor en la jaula murió en el tren cuando pretendí llevármelo de vacaciones.

La evocación del pajarraco fallecido la hizo suspirar, y concluyó:

—Decididamente, *Don Pío* se quedará aquí hasta que volvamos. A usted se lo encomiendo, Mapi.

—Bien, señorita.

—Voy a seguir arreglándome —dijo dirigiéndose a su cuarto—. ¿Qué hora es?

—Las doce menos diez —informé—. Si la boda es a las cuatro, tiene el tiempo justo.

—Gracias por pensar que estoy tan estropeada, que necesito cuatro horas para arreglarme —dijo dolida—. ¿Sabe que hoy la encuentro ligeramente antipática, muchacha?

—¿A mí? —pregunté poniendo carita de asombro—. Pues no sé por qué.

—Ni yo tampoco. Y eso es lo que estoy tratando de averiguar.

—Puede que la boda de la señorita me haya excitado los nervios.

—Pues tranquilícese, guapa, porque la que se va a casar soy yo.

No pude decirle que eso era precisamente lo que me intranquilizaba. Y mi intranquilidad fue aumentando a medida que se aproximaba la hora nefasta de la ceremonia, sin que Jim apareciera para aclarar la situación.

A las dos y media la cocinera, única persona de la casa no metida en el ajo de los acontecimientos, dijo que la comida estaba lista.

—Pero, ¡insensata! —se indignó la señorita—. ¿Quién piensa en comer en un día como éste?

—Tiene razón —la apoyé—: hoy no está el horno para bollos.

—Para bollos, puede que no —dijo la cocinera—. Pero para chuletas asadas...

No logró convencernos ni a la señorita ni a mí. Y ninguna de las dos probamos bocado.

A las tres y media la «novia», que había terminado de arreglar las ruinas producidas en su fachada por el paso de los siglos, me llamó a su cuarto para que le diera mi opinión. Al verla estuve a punto de sufrir un patatús, pues se había puesto un vestido alucinante. Este nuevo conjunto de trapos estaba en la misma línea estrafalaria que su «salto de cama» matinal. Si aquél parecía un «salto de avión», éste debió llamarse un «caerse de espaldas». Porque poco faltó para que me cayera yo al ver tal amasijo de tules blancos, floripondios y cintajos. Y en la cabeza se había puesto una especie de gorro en forma de tarta, rodeado de un velito corto que sólo le tapaba media cara. Este último detalle hacía que todo el conjunto de la señora resultara más horrible aún; porque si al menos el velo del gorro le hubiese tapado la cara completa...

—¿Qué le parece mi traje? —me preguntó, convencida en su fuero interno de que estaba preciosa en su fuero externo.

—Que yo no me atrevería a presentarme así en la iglesia —dije, añadiendo para atenuar mi brutalidad—· Si la boda fuera a celebrarse con ostentación, estarían bien esos boatos; pero en una capillita modesta, y a las cuatro de la tarde...

—Por mi gusto nos habríamos casado en la catedral, a las doce del mediodía —suspiró Alberta—. Pero Manolín se empeñó en que la ceremonia fuese íntima...

—Porque mi primo es un hombre discreto y no quiere llamar la atención. Por eso me figuro yo que no le agradará verla con ese traje tan llamativo.

—¿Usted cree? —empezó a dudar ella—. No quisiera disgustarle hoy por nada del mundo. Puede que tenga usted razón —dijo mirándose al espejo en todas direcciones—. Quizá la modista se haya excedido un poco en adornos. Como le dije que no escatimara, me ha echado más piezas de tul que a un mosquitero.

Poco a poco, con mucho tacto para no ofenderla, fui convenciéndola de que se cambiara aquel espantoso disfraz por un traje más discreto. Porque sólo de pensar en la revolución callejera que iba a armarse si se le ocurría salir con aquella ropa, se me abrían las carnes. Y cuando al fin la convencí, sonó el timbre de la puerta.

—¡Ahí está Manolín! —exclamó la novia—. Vaya a abrirle y entreténgale mientras me cambio. Será cuestión de un momento. Dígale que espere. Que no se case sin mí.

Era Jim, en efecto. Al abrir lo primero que hizo el muy descarado fue agarrarme por la cintura y pretender darme un beso en el morro.

—¡Quieto! —le aparté, arisca—. No me toques, que te puedo despeinar. Y ya veo que vienes de punta en blanco: traje oscuro, corbata de seda, flor en la solapa... Eso significa que, a pesar de todo lo que me prometiste, habrá boda.

—Mira, preciosa —empezó a decir él, bajando la voz y mirando a su alrededor—; éste no es el sitio más apropiado para hablar de ciertas cosas...

—Tranquilízate: la novia feliz está en su habitación, cambiándose de traje. Se había puesto uno blanco, con más gasas y vendas que un quirófano. Pero yo le aconsejé que lo sustituyera por otro menos carnavalesco. Porque tal como estaba, os iban a tirar piedras al salir hacia la iglesia.

—¿Y quién te ha dicho que yo piense ir a la iglesia? Sólo vine a rematar el negocio, ¿comprendes?

—No.

—Verás —me explicó—: la única forma de sacarle a una mujer una cantidad importante, es aprovechar su emoción en los minutos que preceden a la boda. Por eso tuve que decir que sería hoy a las cuatro. Pero aquí está la carta en que la dejo plantada con todo el equipo. Tú misma se la entregarás cuando yo me marche.

Sacó del bolsillo un sobre cerrado, y me lo puso en la mano.

—¿Y adónde irás tú? —le pregunté cogiendo la carta.

—A esperarte en la estación del Norte. Te reunirás conmigo allí.

—¿Para qué? —seguí preguntando.

—Para fugarnos juntos. Ya he tomado nuestros billetes para la frontera.

—¿Y adónde está eso? —quise saber, pues siempre anduve floja en la cuestión geográfica.

—Nos casaremos en Francia —continuó Jim sin subir la voz—. Después de esta faena que voy a hacer, no podremos quedarnos aquí. Y ahora, mientras hablo con

Alberta, puedes ir preparando tu equipaje. Te veré en cuanto acabe de hablar con ella. Hasta ahora.

Y despidiéndome con un cachetito en el pompis, avanzó por el pasillo hacia la habitación de la señorita.

—¡Albertita! —dijo cariñosamente llamando a la puerta—. Soy yo, cielo mío... Tu Manolín... ¡Ya estoy aquí!

PEDAZO 14

UNA VEZ MÁS aquel chuleta había logrado liarme con su
verborrea. La incertidumbre que sufrí durante toda la
mañana pensando que me había engañado, se desvaneció
en cuanto escuché su parrafada. Y volví a sentirme feliz,
soñando con sus nuevas promesas: cita en la estación,
fuga en tren, boda en Francia...

Mon Dié, qué cholí!, como dicen los franchutes.

Ya me veía en París, visitando el esqueleto de esa torre
que quedará tan bonita cuando se decidan a terminarla.
Ya me veía hecha una *madam* elegantona, vestida con trapos finos y echando un buen olor a perfume caro.

Pero antes de verme así, quise ver lo que ocurría entre
mi charrán y la víctima de su charranada. Porque algo
escamadilla había quedado yo de la sinceridad de Jim,
y decidí asegurarme de que esta vez no se trataba de un
nuevo engaño. Por eso, en vez de ir a preparar mi equipaje como él me había sugerido, me acerqué de puntillas a
la habitación de la señorita y me puse a escuchar detrás
de la puerta.

—¿Nos vamos ya, Manolín? —dijo ella—. Temo que
se nos pase la hora y el cura nos salte el turno. Son las
cuatro menos diez, y la boda es a las cuatro.

—No te preocupes —la tranquilizó él—. Ya no será a
las cuatro, sino a las cinco. He tenido que aplazarla.

—¿Por qué?

—De eso mismo quería hablarte —le oí decir a Jim, en
ese tono serio y reposado que empleaba para ensalivar
bien sus mentiras con el fin de que pudieran tragarse fácilmente—. Pero no te pongas nerviosa. Tengo que hacerte
una confesión: tú ya sabes que todos los hombres hemos
sido jóvenes...

—Y las mujeres también, mira qué gracia —saltó Alberta—. A ver si crees que yo siempre he sido así.

—No me interrumpas y escucha: cuando yo era más joven, hubo otra mujer en mi vida.

—¿Y te casaste con ella? —se anticipó Alberta, angustiada.

—No, qué va.

—Menos mal. Porque si te casaras conmigo estando casado con ella, serías un bípedo.

—Querrás decir un bígamo —rectificó él.

—Las dos cosas. Pero ¿cómo es posible que una aventurilla que tuviste hace años, pueda influir en el horario de nuestras nupcias?

—Es que esa mujer sigue loca por mí —continuó inventando Jim mientras yo, pegada a la puerta, abría unas orejas así de grandes—. Y como ha averiguado la hora y el sitio de la boda, es capaz de presentarse en la iglesia para pegarme un tiro.

—¡Qué horror! —la oí exclamar a ella—. ¡Con lo que duele eso!

—Y lo grave es que tú estarás a mi lado —remachó él—. Y como las mujeres no tienen buena puntería, a lo peor te da a ti la bala.

—¿Que me da a mí la bala? ¿Y qué voy a hacer yo con una bala?

—No seas despistada, caramba: ¡pues morirte!

—Es verdad —cayó en la cuenta ella—. ¡Qué espanto! ¿Y qué vamos a hacer?

—Tranquilízate: ya lo he resuelto todo, y ésa es la razón del aplazamiento. En vez de casarnos a las cuatro en la capilla que pensábamos, nos casaremos a las cinco en una ermita de las afueras. Así no habrá peligro de que nos localice, ¿comprendes?

—Buena idea —aplaudió Alberta—. Pero al no vernos en la iglesia, quizá vaya a esperarnos al aeropuerto.

—También he pensado en esa posibilidad. Y para evitarla, he decidido que hagamos el viaje en automóvil.

—¿En automóvil? —se extrañó aquella ingenua de aúpa—. Pero ¿no sacaste ayer los billetes para el avión? Me dijiste que los tenías reservados y te di el dinero para recogerlos.

—Y los recogí. Pero tú misma acabas de admitir que sería una imprudencia presentarnos en el aeropuerto, exponiéndonos a ser víctimas de un atentado.

—Es verdad. No podría resistir tantas emociones en una sola tarde: soltera a las cuatro, casada a las cinco, viuda a las seis y monja a las siete.

—¿Por qué monja? —se extrañó Jim.

—Porque si tú murieras, yo entraría corriendo en un convento.

—Por suerte, el destino nos brinda una solución magnífica para evitarte esa cadena de desgracias —dijo el charrán, dejando el capote con el que había preparado la faena y cogiendo el estoque para rematarla—. Precisamente la tía de un amigo mío quiere vender su coche.

—¿Qué marca es?

—Mercedes.

—No te he preguntado la marca de la tía, sino la del coche.

—Es que el coche se llama Mercedes.

—Entonces ¿cómo se llama la tía? ¿Chevrolet?

—¿Qué más te da? —se impacientó él con razón, pues dialogar con aquella despistada ponía los nervios de punta a cualquiera—. El caso es que lo vende baratísimo. Una verdadera ganga.

—¿Y a cuánto asciende la ganga? —quiso saber la pagana.

—Unas cien mil.

—¡Qué barbaridad!

—Es un pico, desde luego —reconoció Jim.

—¿Cómo un pico? ¡Es el Everest! ¡Ni que tuviera música el cochecito!

—Es que sí la tiene: está equipado con una radio estupenda.

—Me parece demasiado —se resistió Alberta—. No podemos gastar ese dineral.

—Quizá pueda conseguirlo por ochenta mil —se replegó él, temeroso de que fallara el golpe—. Pero habrá que pagarlas en el acto.

—Es que ahora no dispongo de esa cantidad —siguió defendiéndose ella, como gata panza arriba.

—¿No sacaste dinero del banco para los gastos de la boda y el viaje de novios?

—Sí. Cien mil precisamente. Pero si las empleamos en el coche...

—Nos sobrarán veinte mil. Es suficiente. ¿Dónde tienes el dinero?

—En el bolso de viaje que está encima del tocador. Pero espera —añadió, mientras yo oía los pasos de él avanzando precipitadamente hacia el bolso—. ¿No crees que deberíamos pensarlo otro poco? Quizás encontremos una solución más baratita.

—Sólo hay una —dramatizó Jim, que ya se había apoderado del bolso y lo estaba abriendo, pues oí el «clic» del mecanismo de apertura—. Deja que me mate esa mujer, y págame un entierro de tercera. Si lo prefieres...

—¡No, por Dios! —gritó casi la infeliz—. Ni en broma digas eso. ¿De qué me serviría todo mi dinero si te pierdo a ti? Coge las ochenta mil pesetas, y compra ese Dolores.

—No se llama Dolores —rectificó Jim—, sino Mercedes.

—Yo le llamo así, porque a mí me ha dolido bastante.

—¡Bah! —despreció él, que debió de cerrar el bolso después de aligerarlo, pues oí de nuevo el «clic» de la cerradura—. ¿Qué son para nosotros dieciséis mil cochinos duros al lado de nuestra felicidad? Y ahora, me voy volando a por el coche. Volveré a recogerte dentro de media hora. Termina de arreglarte mientras tanto.

Oí a continuación el «mua-mua» de los besitos que intercambiaron como despedida, y me alejé de la puerta. Pero Jim, al salir de la habitación, me alcanzó en el pasillo.

—¿Has estado escuchando? —me preguntó en voz baja.

—Pues sí —le contesté—. Al pasar ante la puerta oí que hablabais, y me paré a echar un orejazo. (Decir «vistazo» hubiera sido inexacto, puesto que escuché, pero no vi.)

—Mejor —murmuró él—. Así no tengo que contártelo. En cuanto yo salga de esta casa, esperas tres minutos y le entregas mi carta. Adiós.

—¡Un momento! —le detuve—. ¿Y dónde nos veremos nosotros?

—Ya te lo dije antes: en la estación del Norte. En cuanto le des la noticia, agarras tu maleta y te vas para allá. Estaré esperándote. ¿De acuerdo?

—Sí. Pero si me das esquinazo como a ella...

—Tontina —me tranquilizó—. ¿Es que no sabes que estoy loco por ti?

Y en la penumbra del pasillo me atizó uno de esos besos aterradores que ponen los pechos de punta.

Luego se marchó, cerrando de golpe la puerta de la escalera.

PEDAZO 15

CUANDO AÚN ME HALLABA bajo los efectos de aquel besazo tan ardiente, la señorita me llamó desde su cuarto y acudí. Ya estaba vestida con un traje menos llamativo, y quería saber mi opinión para elegir un sombrero que entonara con el conjunto.

—¿Qué le parece éste? —me consultó, poniéndose uno negro con lacitos también negros—. ¿No lo encuentra un poco fúnebre para esta ocasión?

—Pues no, al contrario —opiné, tocando en mi bolsillo la carta de Jim—. Cuanto más fúnebre sea, más a tono estará.

—¿Qué quiere usted decir?

—Todavía nada —dije consultando mi reloj—. Se lo diré dentro de un minuto. Vaya preparándose.

—Por favor, Mapi —empezó a asustarse—. ¿A qué viene todo esto?

—Es que dentro de un minuto —anuncié—, recibirá una carta de su novio.

—¿Sí? ¡Qué raro! —se extrañó la señorita—. ¿Por correo?

—No —rectifiqué—: por criada. Me encargó que yo se la diese.

—¿Y a qué espera para dármela, caramba?

Miré de nuevo el reloj. Y al ver que ya habían transcurrido los tres minutos, saqué la carta del bolsillo.

—Tómela —dije.

Y se la di. Ella leyó el sobre, en el que Jim había escrito «Para Alberta».

—Querrá contarme algo que no se atrevió a decirme de palabra —dijo para tranquilizarse mientras abría la carta—. ¡Manolín es tan tímido!

—No lo sabe usted bien —comenté yo con ironía.

Ella empezó a leer la carta y dijo al cabo de un momento:

—Es curioso.

—¿El qué?

—El primer párrafo. Fíjese cómo empieza. —Y me leyó lo siguiente—: «Alberta mía: te ruego que transmitas también a Mapi el contenido de esta carta. Así me ahorro el trabajo de escribirle otra a ella, y mataré dos pájaras de un solo tiro».

Súbitamente, empezó a entrarme un intenso temblor.

—Será que quiere mandarla a un recado —me dijo la infelizota suspendiendo la lectura—. Algún olvido de última hora...

—¡Siga leyendo, jolines! —me disparé—. ¡No sea pelma!

—¿Cómo se atreve a hablarme en ese tono? —se sulfuró la tía.

—Es que estoy un poco excitada...

—Pues no me explico a qué vienen esos nervios. Cualquiera diría que la carta no es de mi novio, sino del suyo.

—Como si lo fuera —intenté justificarme—. Las preocupaciones de la señora son también las mías.

—Muy amable —dijo volviendo los ojos al papel para seguir leyendo.

La carta, poco más o menos, continuaba así:

«Circunstancias imprevistas me obligan a suspender las dos bodas. Cuando leáis esta carta, ya estaré camino del extranjero. Lo siento, preciosas.»

La primera reacción de la señorita Alberta fue de estupor. No tengo que esforzarme mucho para recordarla agarrada a aquel fatídico papel, con los ojos casi fuera de las órbitas y la boca abierta en forma de «o», como un pez fuera del agua.

Por mi parte, yo había palidecido hasta ponerme tan blanca como la carta.

Después de esta escena muda, más cargada de dramatismo que todo el texto de una tragedia griega, las dos nos pusimos a balbucear: ella incoherencias incomprensibles; yo, insultos impublicables. Por último, puesto que nuestro dolor era idéntico porque manaba de la misma fuente, ambas prorrumpimos en una llorera sincronizada.

Lloramos un buen rato con la misma intensidad. Hasta que la señorita, dándose cuenta de que era un poco raro que yo sufriera tanto como ella, paró de pronto su llanto para decirme muy enfadada:

—Bien está que comparta usted mis preocupaciones, pero guardando la debida distancia. ¿Cómo se atreve a llevarse un berrinche tan fuerte como el mío?

—Pero ¿es que no ha entendido la carta? —dije entre sollozos—. ¿No ha visto que ese cerdo hablaba de dos bodas?

Y a continuación, con voz entrecortada por los gimoteos, le conté todo lo que ella no sabía: que Jim no era mi primo, sino mi novio; que allí la única prima era Alberta, porque él me había prometido casarse conmigo.

—No diga disparates —rechazó ella, incrédula—. ¿Pensaba usted que iba a cargar con dos esposas?

—No. Porque él me aseguró que yo sería la única, y que a usted le daría esquinazo.

Y para desahogar mi desesperación le conté mis citas con Jim, las mentiras que él había urdido para embaucarme... Pero las infamias de aquel chulo eran tantas, que no pude terminar de enumerarlas.

—¡Basta, basta! —me interrumpió Alberta, reanudando la llantina—. ¡Qué espanto!... ¡Qué vergüenza!... ¡Hemos caído las dos en manos de un estafador!... Esto es superior a mis fuerzas. No lo resistiré.

—Ni yo tampoco —murmuré, enloquecida por el cabreo que sentía—. Prefiero terminar de una vez.

Y secándome las lágrimas con el dorso de la mano, me dirigí a la puerta, muy decidida.

—¿Adónde va? —se alarmó la señorita.

—Voy a encerrarme en la cocina, y abriré la llave del gas.

—¡De ninguna manera! —me cortó ella, sin poder evitar que le saliera a relucir la cicatería propia de todas las amas de casa—. ¡Bastante gas pago ya sin que se suicide nadie! Abra un grifo si acaso, y ahóguese con agua. Aunque no vale la pena que se mate por ese granuja. Tiene toda la vida por delante. Yo, en cambio... Esta era mi última esperanza, y se ha esfumado para siempre.

—Pues si no me suicido —transigí—, ese canalla me las va a pagar todas juntas: le denunciaré por estafa.

—¡No, por Dios! —se asustó la señorita—. ¿Quiere ponerme en ridículo ante todo el mundo? ¿Quiere que, además de haber perdido el amor, pierda también el honor?

—Lo que no quiero es que ese golfo se vaya de rositas. Eso ni hablar. Haré que le detengan por ladrón y que le metan en la cárcel.

—No puede usted hacer eso, Mapi. Piense en mí. El dinero que robó era mío, y me resigno a perderlo con tal de evitar el escándalo. También a usted le daré una buena gratificación si se calla. Prefiero mil veces llorar a solas que convertirme en el hazmerreír de toda la ciudad. ¿No lo comprende? Júreme que no le denunciará; que no convertirá mi tragicomedia en drama.

Tanto insistió, que acabé prometiéndole callarme. Por otra parte, yo carecía de datos para presentar una denuncia contra Jim: nunca supe dónde vivía, ni si verdaderamente se llamaba Manuel Jiménez. Y como además la señorita Alberta pagó mi silencio con una gratificación bastante generosa, decidí cerrar el pico y olvidar. Porque esa idea de suicidarme fue sólo un relámpago que cruzó mi imaginación sin llegar a producir el trueno correspondiente.

Jim no logró quitarme la vida, pero me quitó algo mucho más importante: la ilusión de vivir. De golpe y porrazo me volví más escéptica, más cínica, más áspera y más esdrújula en general.

Fue en aquellas horas dramáticas cuando cuajó mi filosofía, que divide a la Humanidad en dos sexos: mujeres y guarros.

Al día siguiente de aquellos acontecimientos memorables, que por cierto era viernes, abandoné la casa de la señorita Alberta. Desaparecida la fuerza moral que me impulsó al buen camino del trabajo y la decencia, decidí volver a mi oficio anterior. Porque el buen camino es largo y da muchas vueltas para llegar al bienestar, mientras que la mala vida es un atajo por el que se llega mucho antes.

Metí, pues, mis bártulos en la maleta, y me largué con viento fresco.

Recuerdo que cuando salí del piso y estaba bajando la escalera, oí algo a mis espaldas que me hizo detenerme en un descansillo: era la señorita Alberta, que, estafada por el amor y encerrada para siempre en el claustro de su soltería, se consolaba arrancando lamentos desgarradores a su trompeta.

PEDAZO 16

HARTA DE VER CUCARACHAS y de comer bazofias en pensiones de mala muerte, decidí instalarme en un sitio más distinguido para reanudar mis actividades sexuales.

Mi oficio, al fin y al cabo, se parece mucho al de la caza. Y en las cacerías cobran más piezas las escopetas que ocupan los mejores puestos.

Como mis recursos económicos no eran muy abundantes, opté por fijar mi domicilio en el escalón intermedio entre el hotel y la pensión: la residencia.

Las «residencias» suelen ser pensiones ambiciosas que querían ser hoteles, pero que se quedaron con las ganas. Elegí una céntrica, cuyo nombre me gustó: se llamaba «Residencia Manchega». Y como yo nací en la Mancha, pensé que allá podría recordar mi patria chica. Porque todos los españoles, aunque nuestra patria chica nos dé cien patadas, nos pasamos la vida recordándola. Y cuando vivimos unos años lejos de ella, nos entra una nostalgia de aúpa.

Esto de la nostalgia debe de ser una enfermedad nacional. Sólo así se explica que nuestros compatriotas recuerden con amor, durante toda su vida, unos sitios generalmente bastante cochambrosos. Porque la verdad es que las patrias chicas, salvo las de aquellos que tuvieron la suerte de nacer en Madrid, o en algunas capitales de provincia, son unas solemnes birrias. Como la mía, por ejemplo, que es un pueblo dejado de la mano de Dios. ¿Por qué diantres tengo que acordarme yo de aquel lugarejo inhóspito, donde pasé una niñez aperreada? Y sin embargo, me acuerdo.

¿Por qué el gallego que triunfa y se enriquece en las Américas tiene que acordarse de «Puebliño da Merda», aldehuela en la que le parió su madre y de la que tuvo que salir chaqueteando porque se moría de hambre? Y sin embargo, se acuerda.

¿Por qué los antiguos extremeños que se iban a conquistar Méjico y Perú, soñaban con volver a sus tierras áridas de Extremadura, a pesar de que no se había hecho aún el Plan Badajoz? Pues por esa cochina enfermedad de la nostalgia, que entontece al más avispado. Sólo así se entiende que sintamos afecto por esas patrias chicas sórdidas y pobretonas, donde muchas veces nos trataron a puntapiés.

Ruego que se me perdone esta divagación, pero la hice para que se vea que yo también discurro el porqué de las cosas. Por muy fulana que sea, una tiene su raciocinio y no le faltan inquietudes intelectuales. La ventaja de tener el cerebro bien guardado y protegido en la caja del cráneo, es que él puede seguir discurriendo cosas elevadas, mientras el cuerpo trabaja por su cuenta en las mayores bajezas.

Como ya dije bastante más arriba, fue esa invencible nostalgia de la patria chica la que me hizo instalarme en la «Residencia Manchega». Y si lo que yo pretendía era despabilar recuerdos dormidos de mi región natal, lo conseguí plenamente. Porque aquella residencia estaba tan mal dirigida por su director, como mi pueblo lo estuvo por su alcalde.

La casa era vieja. Aunque la habían pintado recientemente, se le notaba la vejez lo mismo que a una anciana después de maquillarse. El portal estaba franqueado por dos tiendas viejísimas también, en las que durante el tiempo que viví en la residencia nunca vi a ningún cliente.

La tienda de la derecha vendía aparatos ortopédicos, y la de la izquierda condecoraciones militares. Supe después que ambas pertenecían al mismo dueño, que hizo con ellas muy buen negocio durante la guerra del 36: todo soldado al que cascaban en el frente de Madrid, iba primero a la tienda de la derecha para comprarse un miembro artificial; y después a la izquierda, para adquirir la condecoración correspondiente. Pero la paz secó estas dos espléndidas fuentes de ingresos, y el dueño pensaba reformar los locales para dedicarlos a los dos nuevos negocios que surgieron en la posguerra: un banco y una cafetería.

La «Residencia Manchega» empezaba en el primer piso, aunque ya se anunciaba parcialmente en un letrero luminoso colgado sobre el portal. (Digo «parcialmente» porque al anuncio, como suele ocurrirles a todos los letreros de esta clase, se le habían fundido varias sílabas y sólo podía leerse «Resi Man».)

A la entrada había un mostrador que se hizo para un conserje, pero que sin duda al conserje no le gustó porque nunca se le encontraba detrás. Tanto los huéspedes que entraban como los que salían, tenían que llamarle a gritos.

—¡Voy! —gritaba él desde un retrete cercano, donde estaba siempre haciendo pis.

Y al cabo de un momento acudía abrochándose la bragueta.

—Usted perdone —se excusaba ante el huésped que le había llamado—. Estaba echando una meadita...

—Pero ¡diablo! —le decía el huésped, impaciente—. ¿Cuántas echa usted al día, hombre de Dios?

—Demasiadas —admitía él, bajando la vista al suelo con un poco de vergüenza—. Es que tengo la próstata algo blandengue...

—¿Cómo blandengue? —se enfurecía el huésped—. ¡La tiene usted hecha una breva, caramba! Y con su dichosa próstata, nunca está usted en su puesto. Me quejaré al director para que busque una solución.

—Yo mismo le propuse una —explicaba el conserje—, pero no la aceptó. Le pedí que me dejara poner un orinalito detrás del mostrador, a la altura conveniente. De ese modo, sin abandonar mi puesto, yo hubiera podido utilizarlo mientras los atendía a ustedes. Como el mostrador es alto nadie vería nada, y todos saldríamos ganando: los huéspedes por un lado y mi próstata por otro.

Pero como el director había rechazado esta idea, la conserjería siempre estaba desatendida y todos los que vivían en la residencia, enfadados por las ausencias del pobre prostático, le atacaban sin piedad.

—Pues es inexplicable que, con tanta meadita, se llame usted Gabino —le decían—. Debería llamarse Simeón.

Más allá del mostrador, había un vestíbulo. Aunque yo no entiendo de mobiliario, puede que los muebles fueran del estilo manchego. Lo digo porque todos los asientos que allí había eran tan incómodos como las sillas de cuero que se ponen a las mulas para cabalgar por la Mancha.

También había una mesa con números atrasados de un periódico de Ciudad Real y de dos revistas agrícolas llamadas *El eco del secano* y *La voz del regadío*.

En todas las paredes, no sé por qué, había retratos de una pareja formada por un señor delgadito a caballo, y por otro muy gordo en burro. Quizá fueran antepasados del dueño, pues el flaco llevaba un uniforme de hojalata como los militares antiguos.

—Si es usted de la Mancha —me dijo el conserje cuando llegué—, aquí se sentirá como en su propia casa. Porque en esta residencia es todo tan manchego, que hasta el molinillo para moler el café tiene las aspas como los molinos de viento.

Me sentí, en efecto, como en mi propia casa, pues las incomodidades de la residencia recordaban bastante las que padecía el vecindario de mi pueblo: el agua corriente de los grifos sólo corría cuando le daba la gana y los colchones eran duros como si no estuvieran hechos con lana de oveja, sino con pelo de cabra. También me había dicho que en todas las habitaciones había calefacción central: y en la mía, por más que busqué, no vi ningún radiador.

—Es que aquí no usamos radiadores —me explicó el director cuando fui a quejarme—. Al empezar los fríos, ponemos un brasero en el centro de cada cuarto. Por eso la llamamos «calefacción central».

—¿Y cuándo consideran ustedes que los fríos han empezado? —me informé, pues a los termómetros ya les faltaba un pelín para llegar al cero.

—Cuando se forma escarcha en la jarra de agua que hay en las mesillas de noche.

Pero quitando estos defectillos, la residencia tenía detalles de hotel que no se encuentran en ninguna pensión. Uno de ellos, por ejemplo, era un teléfono en la cabecera de cada cama, para hablar con el conserje. Desde los teléfonos interiores no era posible comunicar con la calle, claro está, pues por el precio que pagábamos no podíamos pedirle peras al olmo. Pero no dejaba de ser una comodidad saber que, descolgando aquel aparato, se podía echar un párrafo con el conserje para preguntarle la hora, o para interesarse por el estado de su próstata. Teniendo en cuenta que los huéspedes suelen aburrirse en sus habitaciones como los presos en sus celdas, las charlas telefónicas constituían, en barato, una diversión equivalente a los radios y televisores que se instalan en los cuartos de los hoteles caros. Lo malo era que Gabino, alias «Simeón», como conversador no valía nada: en sacándole de sus meaditas, se le acababa el hilo de la charla y había que colgarle. No obstante, aunque no sirviera de mucho, el teléfono hacía bonito y daba a la residencia un aire moderno e importante.

Otro detalle de modernidad digno de tenerse en cuenta era el derroche de lavabos, pues había uno en cada habitación. Y aunque todos tenían un solo grifo, era tan grande y reluciente que daba gloria verlo.

Pero lo que más me agradó de aquel hospedaje, fueron los huéspedes. En primer lugar, porque todos eran manchegos. Y en segundo, porque entre ellos me llevé la sorpresa de encontrar a una amiga de mi pueblo: Gaudencia, la hija del sacristán.

—Pero ¡Mapi! —exclamó al cruzarse conmigo en el vestíbulo de la residencia—. ¿No me reconoces?

—¡Gau!... ¡Gau!... —ladré yo, precipitándome a abrazarla.

Porque, allá en el pueblo, acostumbrábamos a cortar su nombre. Y con el corte, quedaba convertido en un ladrido. Me alegré de veras al verla, ya que había formado parte de mi pandilla durante nuestros años de niñez y desarrollo.

—¿Qué haces tú en Madrid, gamberra? —le dije, dándola palmadas en el lomo.

—Pues ya ves, chica: llevo aquí un mes, luchando para ganarme los garbanzos. Y no me va del todo mal.

Decidimos comer juntas, pagando cada cual lo suyo, para recordar tiempos pasados.

Gaudencia, que de niña fue una esmirriada que no valía un pimiento, se había puesto hecha una tía imponente. De cara no, porque siempre tuvo la nariz algo ganchuda y los ojos demasiado juntos; pero de cuerpo, en cambio, estaba como suelen decir los anuncios de las revistas teatrales: «escultural». ¡Qué pechos, madre! Tan duros y tiesos como cuernos. ¡Y qué culazo, cielo santo! Las nalgas parecían hemisferios de un mapamundi.

—¿Y tu papá? —me interesé como es costumbre—. ¿Tan sacristán como siempre?

—Pues ya no —me informó ella—: sintiéndolo mucho, tuvieron que jubilarle.

—¿Por viejo?

—No, por muerto. Falleció de un cólico.

—¡Vaya, qué lata! —me compadecí—. Con la rabia que da perder un papá. Sobre todo cuando sólo se tiene uno.

—Ya, ya —meneó ella la cabeza.

—¿Y qué clase de cólico le dio al buen hombre? —quise saber.

—Pues no lo sé. Pero como trabajaba para la iglesia, supongo que sería un «cólico miserere».

—No sabes cuánto lo siento —suspiré—. Porque te habrás quedado muy huérfana, ¿verdad?

—Pues sí, bastante. Aunque aún me queda mi mamá. Pero la parentela se ha quedado coja.

Para no entristecerla, cambié de conversación y me puse a hablar de nuestra infancia.

—¿Te acuerdas de cuando querías estudiar para santa y te pasabas el día haciéndote cruces? —refresqué su memoria.

—¡Ay, sí, qué risa! —se carcajeó ella—. Eso fue por el ejemplo que me daban en casa. Con un padre sacristán y una madre beata, lo raro hubiera sido que pretendiese aprender «striptís». Y como además estaba anémica, me dio por ser mística. Hasta veía visiones, ¿recuerdas?

—¡Claro! —reí yo también—. Un día te dio una especie de trance, y aseguraste que habías visto una aparición en la rama de un alcornoque. ¿Cómo dijiste que se llamaba el santo que se apareció?

—San Popelín. Y los curas del pueblo se cachondearon de mí, porque les pareció que aquel nombre no era de santo, sino de camisa.

Nos entró a las dos una risa tan fuerte, que se nos salieron de la boca algunos garbanzos del potaje que estábamos comiendo. Cuando nos calmamos le conté que a nuestra compañera Tere, aquella que de chica era rubiales como una hija de Torrejón, la había retirado un tío con pasta.

—¡Si la vieras ahora! —concluí—. Está lustrosa, con pedruscos de brillo en los dedos y un piso propio en el Barrio de los Líos.

—¡Menuda suerte! —suspiró Gau—. Porque ya he tenido ocasión de ver que para sacarles algo a los fulanos de la capital, hay que sudar tinta. Me apañaba mejor con los mozos del pueblo. Allí era todo más sencillo.

—¿En qué sentido?

—En el horizontal, mujer. ¿Me gustaba Juanón, el de la Zoraida? Pues nos íbamos a la era del señor Tomás, que era sordo y medio cegato, y ¡hala! ¿Que al acabar con Juanón me encaprichaba de Crispín? Pues nos revolcábamos en el pradillo que había junto al cementerio, y listo. Luego me regalaban unas enaguas, o un refajo, o un bote de pimientos morrones, y todos quedábamos tan conformes. Pero en Madrid, con tanto guarda en los parques para que no te revuelques, y tanto conserje en los hoteles para que no te acuestes... Si quieres que te sea franca, echo de menos nuestras eras y nuestros prados. Se sacaba menos, eso sí, porque la economía del mozo pueblerino es más precaria que la del señorito capitalino; pero lo sacabas sin tantas complicaciones.

—¿Y por qué te has venido a Madrid? —quise saber—. ¿Por qué no te quedaste en el pueblo?

—Porque ya no existe.

—¿Quién?

—El pueblo.

—¿Cómo? —exclamé sorprendida—. ¿Qué quieres decir?

—Que ya no hay pueblo. Lo han quitado.

Tuvo que repetírmelo varias veces, pues yo creí que mis oídos se equivocaban al escuchar lo que decía. Al fin, cuando comprendí que había oído bien, pregunté:

—Pero ¿cómo es posible que lo hayan quitado? Un pueblo no es la carpa de un circo ambulante, que se quita de un día para otro.

Y Gaudencia me contó cómo nos habíamos quedado sin pueblo natal como yo me quedé sin abuela.

PEDAZO 17

GAU EMPEZÓ POR DECIRME que nuestro pueblo, dejando aparte esas pamplinas sensibleras de amor a la patria chica, siempre fue un solemne asco. Pudo ahorrarse este prólogo, porque ya lo sabía yo. Muchas veces he pensado a quién se le ocurriría fundar una población en el ombligo de esa tierra, seca y estéril como el vientre de una vieja. Tuvo que ser un deficiente mental. O uno de esos masoquistas campestres llamados anacoretas, que disfrutaban pasando calamidades en sitios inhóspitos.

Sólo así se explica la elección de ese paraje, situado en la proximidad de un riachuelo no mucho más caudaloso que las meaditas de nuestro conserje. Allí el único regadío fetén era el sudor de los labradores, que a fuerza de deshidratarse ellos mismos conseguían ir sacando adelante siete cepas y cuatro ceporros.

Todas las tierras de los alrededores eran de esas tan sumamente pobres, que la gente del campo las llama tierras de pan llevar.

—¿Por qué las llamarán así? —me preguntó Gaudencia.

—Porque esas tierras no dan nada, si quieres comer pan en ellas, tienes que llevártelo tú.

Puede que mi explicación no fuera del todo exacta, pero debe de ser bastante aproximada. A nadie puede extrañarle, por lo tanto, que en semejante terreno naciese un pueblo raquítico, sin raíces profundas para crecer y prosperar.

Es cierto que su número de habitantes llegó a ser bastante considerable, porque a falta de diversiones los matrimonios tienen que pasar el rato de alguna manera. Pero en cuanto los niños crecieron y observaron el panorama que los rodeaba, se pusieron a emigrar como los patos y los golondrinos.

Y el censo fue disminuyendo, hasta quedar reducido a ese mínimo de personajes indispensables que no puede faltar en ningún pueblo de España: las autoridades civiles, militares y eclesiásticas; las autoridades científicas, compuestas por el médico, el boticario y el veterinario; y por último los vecinos propiamente dichos, conglomerado compuesto en su mayoría de paletos que trabajan en el campo y de beatas que rezan en la iglesia.

Mi patria chica, por lo tanto, había caído en el ostracismo; o mejor dicho en el almejismo, porque yo creo que las ostras no se aburren tanto como las almejas.

(Una ostra puede divertirse tratando de fabricar una perla. Y en el caso de que no logre fabricarla, siempre le queda el consuelo de saber que algún día la abrirán para comérsela en un restaurante caro y distinguido. La almeja, en cambio, no tiene la distracción de hacer perlitas, y sabe que su triste final será ser comida en cualquier tasca barata.)

Gaudencia me explicó el aburrimiento que fue invadiendo nuestro pueblo a medida que sus habitantes lo fueron abandonando. Todas las mozas de buen ver, como ella y yo, se marchaban a trabajar a distintas capitales; aunque no en el mismo oficio que nosotras, claro está, pues las había que se conformaron con ser criadas y operarias de fábrica. También los mozos, hartos de destripar terrones secos y duros como cachos de ladrillo, liaron el petate.

El tiempo fue pasando sin pena ni gloria, como pasa en todos los pueblecillos que quedan muy apartados de los caminos de la historia.

(¡Vaya frase, carape! ¡Cualquiera diría que la he plagiado del discurso de un ministro!)

Hasta que un día pocas semanas antes de que Gau me lo contara, llegaron al pueblo varios coches oficiales cargados de ingenieros. El alcalde, que seguía llamándose don Joaquín porque era el mismo que ya teníamos en tiempos de la guerra, se echó a temblar cuando fueron a verle los visitantes.

—¿Por qué tiembla usted? —le preguntaron ellos.

—Porque siempre que viene alguien en visita oficial, se lleva algo. El último que vino fue un inspector de la Dirección General de Ganadería, y no dejó títere con cabeza de ganado.

—Nosotros no somos inspectores, sino ingenieros —le tranquilizaron.

—Pero estoy seguro de que no serán agrónomos — afirmó el alcalde.

—No, en efecto. ¡Astuto alcalde, demonio! ¿Cómo lo sabe?

—Porque he pasado toda mi vida en el campo —explicó don Joaquín—. Y hay que tener mucha suerte para encontrar ingenieros agrónomos fuera de las ciudades. Yo no la he tenido, pero no pierdo la esperanza. Porque no quisiera morirme sin ver alguno. ¿Ustedes saben cómo son?

—Parecidos a nosotros —explicaron los visitantes—, pero más tostaditos por el sol. Nosotros somos ingenieros de Caminos, Canales y Puertos.

—Pues Dios los ampare, hermanos —dijo el alcalde en tono de despedida—. Aquí no puedo enseñarles ninguna de esas cosas, porque no tenemos caminos, ni canales, ni mucho menos puertos. De manera que vayan a buscar por otro lado, porque de aquí no sacarán nada. Buenos días.

Los ingenieros le explicaron que no habían ido para sacar, sino para traer.

—¿Es posible? —dijo el alcalde, incrédulo—. Sería la primera vez que el gobierno se acordaba de nosotros para mandarnos algo. ¿Y qué nos traen?

—Pues… —empezaron los ingenieros.

—¡No me lo digan, ya lo sé! —les cortó don Joaquín, adivinando—. Puesto que son ustedes ingenieros de Caminos, nos traerán una carretera, ¿verdad? ¡Claro! ¡Por fin le ha llegado el turno a la instancia que presentamos en el siglo diecinueve! Pedíamos que nos asfaltaran la calzada romana que une al pueblo con la carretera general. ¿Quién ha dicho que nuestra burocracia es lenta? ¡Aquí está la prueba de su celeridad! ¡Acaba de aprobarse el Plan de Modernización de las rutas nacionales, y ya vienen los técnicos a iniciar los trabajos!…

—Verá usted —empezaron a decir los ingenieros—: no quisiéramos defraudarle, pero en realidad no venimos a arreglar la calzada romana.

—¿No? —se detuvo don Joaquín, pero en seguida volvió a embalarse—. Ya comprendo: quieren conservar la calzada tal como está, por ser una reliquia histórica, y hacer una carretera nueva por otro lado. ¿No es así?

—No exactamente —negaron los ingenieros con delicadeza, para no herir al entusiasmado alcalde—. La verdad es que no venimos a ocuparnos de una vía de comunicación, sino de una obra hidráulica.

—¿Hidráulica? —repitió con dificultad el secretario del ayuntamiento, que asistía a la reunión, y que no era un pedazo de bestia sino una bestia completa—. ¿Y eso con qué se come?

—No se come —aclaró uno de los visitantes—. Si acaso, se bebe. Quiere decir que la obra está relacionada con el agua.

—¡Mucho mejor! —estalló de nuevo el entusiasmo de don Joaquín—. Porque el agua nos hace mucha más falta que la carretera. Y como ustedes son también ingenieros de Canales, lo que vienen a traernos es un canal. ¿Cómo no se me ocurrió antes? ¡Pues claro! El gobierno, que es muy sabio, sabe que el problema grave de esta región es la sequía. Lo que necesitamos con más urgencia es un hermoso canal, que transforme en regadío estas tierras de secano.

—Pues... —empezaron a decir los ingenieros.

—¡Pero qué gobernantes más listos tenemos, madre mía! —continuó el alcalde—. ¿Quién ha dicho que son unos tontos, que creen que el campo sólo sirve para ir a cazar? ¡Nada de eso! Las cacerías no son más que un pretexto, que les permite salir de Madrid para estudiar los problemas del agro. Y mientras emplean un ojo para apuntar con la escopeta, el otro lo tienen bien abierto y lo dedican a ver todas las mejoras que el campo necesita. Como este canal, por ejemplo, que nuestra región estaba pidiendo a gritos. ¿Cuándo iniciarán ustedes las obras? —concluyó el alcalde, frotándose las manos con anticipada satisfacción.

—Verá usted —empezó a explicar un ingeniero que parecía un barítono y que quizá por eso llevaba la voz cantante—. En realidad, las obras que motivan nuestra presencia se iniciaron hace mucho tiempo.

—¿Sí? Bueno, es natural —dijo don Joaquín, comprensivo—. Como el agua tendrán que traerla de muy lejos, habrán estado haciendo hasta ahora el primer tramo del canal. ¿Y falta mucho para que se terminen las obras?

—Prácticamente —informaron los ingenieros con cierto azoramiento—, ya están terminadas.

—¿Qué? —exclamó el alcalde, pasando del optimismo a la perplejidad—. ¿Cómo pueden estar terminadas si aquí no hemos visto el canal por ninguna parte?

—Es que siento tener que decírselo —se decidió a confesar el ingeniero con pinta de barítono—, pero la obra que estamos haciendo difiere un poco de la que usted imagina. Es hidráulica también, pero no es un canal precisamente.

—¿No? —dijo don Joaquín muy asombrado—. ¿Pues qué es entonces?

—Un embalse —le contestaron.

—¿Un embalse? —repitió él, sin salir de su asombro—. ¡Pero eso es demasiado! Les aseguro que para regar nuestras tierras, con un canalillo vamos que chutamos. ¿Qué falta nos hace a nosotros un embalse?

—A ustedes no les hará falta, pero a España sí —declamó el que llevaba la voz cantante.

—En ese caso, no digo nada —aceptó el alcalde que, sin llegar a los extremos de su colega de Móstoles, era también muy patriota—. ¿Y dónde lo van a poner? Porque un embalse es grandísimo y ocupa una barbaridad.

—Sintiéndolo mucho —dijeron los ingenieros—, lo pondremos aquí.

—¿En qué parte? —quiso concretar don Joaquín—. ¿En la hondonada que hay cerca del río?

—También allí.

—¿Cómo «también»? ¿Piensan ponerlo en algún otro sitio más?

—¡Qué remedio! —suspiraron los ingenieros poniendo cara de resignada tristeza—. Como el embalse va a ser muy grande, en esa hondonada no cabrá todo. Y habrá que poner agua también aquí.

—¿Dónde? —se alarmó el alcalde—. ¿En el pueblo?

—¡Qué remedio! —repitieron los ingenieros.

—Pero eso es un disparate —dijo don Joaquín, cada vez más asustado—. No pensarán ustedes convertir el pueblo en una isla, rodeándolo de agua por todas partes.

—No. No lo convertiremos en una isla.

—Pues no comprendo cómo se las van arreglar entonces —caviló el alcalde, rascándose la cabeza—. Porque si ponen el agua alrededor del pueblo...

—Es que además de ponérsela alrededor —aclararon por fin los ingenieros—, se la pondremos también encima.

Así fue, poco más o menos, como supieron mis coterráneos que nuestro pueblo iba a desaparecer en las profundidades de un nuevo embalse. Por lo visto, según contó Gaudencia, iban a desviar el cauce de un río que pasaba a quince kilómetros de allí, para almacenar sus aguas en la depresión del terreno que ocupaba nuestra patria chica.

—¿Y a eso le llaman pomposamente una obra hidráulica? —me indigné—. Pues yo a eso le llamo sencillamente una cabronada. Y no me cabe en la cabeza que hayan podido hacer esa barbaridad.

Para que me cupiera en la cabeza, Gau explicó cómo la habían hecho:

—A quince kilómetros al norte del pueblo —dijo resumiendo—, le hicieron al río un cauce artificial. Y a siete kilómetros al sur, levantaron un muro entre dos montes. Luego metieron el río por la desviación, hasta inundarlo todo a base de bien. Y como el agua que entraba por el Norte no se podía escapar a causa del muro que habían hecho en el Sur, se formó el embalse en un periquete. ¿Comprendes?

—Sí, sí.

—De este modo, lo que antes era un pueblo con sus mozos y sus bestias, es ahora un lago con sus ranas y sus peces. Y lo que ayer tenía nombre de término municipal, se llama hoy Pantano de Santa Bárbara. Aunque no acierto a comprender por qué le han puesto ese nombre.

—Pues yo sí —dije furiosa—. Como borrar un pueblo del mapa es la mayor barbaridad que puede hacer la ingeniería, ese nombre le va como anillo al dedo. Porque Santa Bárbara, aunque yo entiendo poco de santurrones, debe de ser la patrona de todas las barbaridades.

A Gaudencia le sorprendió que me afectara tanto la desaparición de aquel poblacho inmundo, en el que ambas fuimos paridas.

—¿Tanto le querías? —me dijo al observar mi rabieta.

—Todo lo contrario —estallé—. Le odiaba con toda mi alma. En él fui perdiendo, sucesivamente, casi todos los elementos que embellecen un poco esta perra vida: mi padre, que murió destrozado durante la guerra civil al caerle encima un avión. Y mi virginidad, al caerme encima un señorito. Perdí también a mi hermana Candelaria, que se fue monja. Y a mis hermanos Esteban y Felipe, que se fueron cada uno por su lado y sabe Dios dónde estarán. Añade a esta lista la pérdida de mi madre, que me echó de casa llamándome golfa, y verás que no tengo motivos para querer a ese maldito pueblo.

—Entonces, ¿por qué te da tanta pena que lo hayan quitado de en medio?

—Porque, a pesar de todo, habíamos nacido allí. Era nuestra patria chica. Y aunque yo la dejé porque no podía soportarla, me gustaba decir que había nacido en ella. La patria chica es como una madre, con la que a veces no podemos convivir pero de la que nunca renegamos. Cuando alguien te pregunta de dónde eres, es como si te preguntara: «¿Cómo se llama tu madre?» Y si tu madre ya la enterraron, tú no contestas dando su nombre. En lugar de darlo, dices que murió y añades apenada:

»«Soy huérfana.» Por eso ahora, cuando alguien me pregunte de dónde soy, ya no podré dar el nombre de mi patria chica porque ya no existe. La han enterrado en una tumba de agua, y me siento un poco huérfana. Como te sentirías tú si tuvieras algo de sensibilidad. Al fin y al cabo, hemos perdido a nuestra segunda madre: a la tierra que nos parió.

—¡Qué dramática te has puesto, joroba! —comentó Gaudencia—. Has reaccionado igual que el alcalde.

—¿Cómo reaccionó él? —pregunté, afectada todavía por la noticia.

—Al saber que su querido pueblo iba a ser devorado por las aguas, se puso a llorar a moco tendido. Sus lágrimas tuvieron cierto carácter inaugural, porque fueron las primeras gotas de líquido que mojaron el suelo del futuro embalse.

—¡Pobre gachó! —le compadecí—. Le costaría mucho trabajo marcharse de aquel agujero que tanto había amado.

—¿Que si le costó? ¡No lo sabes tú bien!

Y como yo quería saberlo bien, Gau me contó con su lenguaje —casi tan pintoresco como el mío— una historia conmovedora.

PEDAZO 18

—Como, sentimentalismos aparte, el pueblo era una ca-
garruta —comenzó mi amiga—, a ningún vecino le entris-
teció tener que abandonarlo. Al contrario: todos se ale-
graron de poder emigrar a otros sitios de más porvenir,
gracias al dinero que les dio el Estado al expropiarles
sus tierras y sus casas. No sé si sabrás que, como el Estado es el que le da a la manivela de la máquina de hacer
billetes, siempre paga con esplendidez cuando expropia
para hacer cualquier obrita que se le ha encaprichado.
¿Qué trabajo le cuesta pagar la hectárea a ciento en
lugar de a diez? Unas vueltas más al manubrio de hacer
papelillos verdes, y listo. Así poco trabajo cuesta ser
espléndido, ¿no te parece?

—Sí, pero no divagues —me impacienté—. Continúa.

—Tan contento quedó todo el vecindario —prosiguió Gau—, que la víspera de la fecha fijada por los ingenieros para que el pueblo quedase desalojado, se celebró un festejo por todo lo alto: con verbena, cohetes,
becerrada, borracheras... ¡Ríete tú de la fiesta de la
vendimia!

Pero yo no me reí, porque tenía un recuerdo muy
amargo de aquella puñetera fiesta. Y dejé que mi amiga
siguiera contando:

—La alegría de todos se desbordó, lo mismo que el
día siguiente iba a desbordarse el agua hasta anegar
aquellos parajes. Tan alegres estaban todos que el mismísimo don Julio, en mitad de la plaza, se subió a la
tarima de los músicos para pronunciar un discurso.
¿Tú te acuerdas de don Julio?

—¿Cómo no voy a acordarme —repliqué con aspe-
reza—, si cuando yo era niña estuvo liado con mi madre? Se apellidaba Cabezón, o Cabezudo. No estoy muy
segura.

—Pues don Julio, que estaba medio chufa, soltó
una perorata en la que vino a decir poco más o menos:

«El Estado acaba de dar una prueba de talento, encontrando un método para resolver todos los problemas de las zonas tan pobres como la nuestra. Todas las aldeas costrosas, que languidecen como basuras tiradas en cualquier rincón del paisaje, serán barridas por los pantanos. Toda la geografía española está siendo baldeada, como la cubierta de un barco, por el agua de los embalses. Todas las tierras áridas, en las que se tambalean pueblecillos decrépitos y con escasos recursos, se convertirán en lagos. Y en las tierras fértiles, únicas que se salvarán de esta inundación purificadora, edificaremos pueblos modernos y hermosos que no se mueran de sed». Eso fue, aproximadamente, lo que dijo don Julio en su eufórica cogorza. Y todo el vecindario, con una sola excepción, le aplaudió a rabiar. La excepción, como ya te habrás imaginado, fue don Joaquín. El infeliz, indignado por aquel insulto a su terruño, se abrió paso entre la gente que bebía y bailaba. Hasta que pudo a su vez encaramarse en la tarima. Quiso decir algo, pero nadie le escuchó. Yo le vi abrir la boca y agitar los brazos, pero los músicos empezaron a tocar el «requesón». Y ya sabes tú el alboroto que organizan nuestros convecinos en cuanto se les toca la danza típica: reaccionan igual que las caballerías cuando les hunden las espuelas en los ijares.

—Mal comparado —agregué, para suavizar la comparación.

—No tan mal —insistió Gau—, pues los brincos y caderazos que se atizan los danzantes, hacen pensar en una reata de mulas desbocadas. Hasta hay un paso del baile que se llama «la coz»...

—Quizá tengas razón.

—¡Claro que la tengo! Yo creo que a esa danza tan bestia la llamaron «requesón» porque tiene muy mala leche. Pero volvamos al grano de la historia. El grano, o sea el alcalde, no logró hacerse oír. Y harto de dar gritos que se hundían en la masa del «requesón», abandonó muy mohíno la tarima y fue a encerrarse en la alcaldía.

»A la mañana siguiente, en cuanto el sol asomó su calvorota por una esquina del paisaje, se inició la evacuación del pueblo. Muchos vecinos que no quisieron esperar al último momento, se habían largado ya con sus bártulos. Los que quedaban fueron amontonando todo lo que poseían en carros y carretas, en camiones y camionetas, para efectuar la mudanza con rapidez.

—¡Qué triste! —comenté.

—No lo creas —me aclaró Gau—. Estos trabajos de carga en los diversos medios de transporte, se efectuaron alegremente. Y cuando la caravana se puso en marcha para alejarse del pueblo, nadie volvió la cabeza para ver por última vez la casa donde había vivido hasta entonces. Y yo, la verdad, comprendo esa indiferencia. Porque cuando se lleva en el bolsillo un buen montón de billetes para comprar una casa como es debido, ¿a quién le importa dejar atrás el escombro formado por cuatro paredes de adobe y una techumbre de tejas rajadas?

No estuve de acuerdo con Gaudencia en ese aspecto, y me dolió el desapego de mis convecinos al separarse de sus viejos hogares sin una lágrima. Pero como se me había dormido el pompis de tanto estar sentada escuchando aquella historia, me callé para que la terminara de una vez.

—A media tarde —prosiguió—, la caravana franqueó el límite de la gran extensión de terreno que iba a ser cubierta por las aguas. Y aquella misma noche, el río desviado empezó a inundar nuestra patria chica. La tragedia no se supo hasta varios días después.

—¿Qué tragedia? —pregunté extrañada.

—La desaparición de don Joaquín. Al hacer el recuento de los vecinos evacuados, faltó él. Y no hubo forma de encontrarle por ninguna parte. Mientras le buscaba hasta la Guardia Civil, a la que no se le escapa nadie, el nuevo pantano de Santa Bárbara fue llenándose hasta los aliviaderos. Lo que antes fueron caminos de carros, se transformaron en rutas de barcas. Y fue una de estas barcas, por verdadera chiripa, la que halló el primer fruto de aquella búsqueda hasta entonces infructuosa: la vara de alcalde que don Joaquín había empuñado durante tantos años, flotando en la superficie del embalse.

—¡Arrea! —exclamé—. Mala espina me da eso.

—También a los de la barca les dio una espina malísima, y comunicaron el hallazgo a las autoridades. Al día siguiente, un «hombre rana» encontró a don Joaquín.

—¿Dónde?

—En su puesto, como los capitanes de los barcos que se hunden: estaba en el balcón principal del Ayuntamiento, vestido de alcalde, aferrado con la mano izquierda a los hierros de la balaustrada. De la derecha, al relajarse con el largo remojo los músculos de los dedos, su vara de mando se le escapó y voló hasta la superficie.

—¡Toma castaña! —exclamé para sacudirme la impresión que me había causado la historia.

Después de un silencio, durante el cual estuve de lo más pensativa, añadí:

—¿Sabes lo que te digo? Que pertenecemos a una raza pipuda.

—¿Por qué? —me preguntó Gau.

—Porque en cualquier patria chica, por insignificante que ésta sea, surge siempre un gran patriota capaz de morir por ella.

Para que luego digan que una no discurre.

PEDAZO 19

COMO GAUDENCIA SE HABÍA dedicado a la misma profesión que yo —aunque no sólo por hambre como en mi caso, sino también por vicio, debido a que su constitución física era bastante cachonda—, decidimos salir juntas a trabajar. Ella tenía descaro y desparpajo en abundancia, cualidades indispensables para ligar, de las que yo andaba escasa.

A mí, por lo tanto, me venía bien asociarme con ella. Y a ella tampoco le iba mal su asociación conmigo, pues yo aportaba un cebo apetitoso para que se arrimaran los tíos a nuestros anzuelos: mi belleza.

Porque yo, dicho sea con la debida modestia, era mucho más guapa que mi socia. Dejando aparte la cara, que poco importa para ciertas cosas, se me había ido poniendo por aquellas fechas un cuerpazo monumental.

A mi lado, lo afirmo sin presumir, esa Venus manca tan popular que sale hasta en las estampillas de las chocolatinas, era una señora gorda. Como a mí nunca me sobraron perras para hartarme de comida, jamás tuve excedentes de grasa en ningún rincón del cuerpo. Si a esto se le añade el adelgazamiento propio de la decepción amorosa que sufrí con aquel chulo apellidado Jiménez, se obtendrá una anatomía tan perfecta como esas que se ven en los periódicos anunciando fajas y sostenes. Con la ventaja a mi favor de que yo no necesitaba ninguno de esos andamiajes para sostener mis cosas en su sitio.

Considerando que nuestras aportaciones a la sociedad que habíamos formado eran equivalentes, acordamos repartirnos a partes iguales los beneficios que obtuviéramos. Y salimos a los caminos de la noche, emparejadas como la Guardia Civil.

Comprendiendo que la clientela de «Larache» era

modesta, formada en su mayoría por gamberros de mucho ruido y pocos billetes, decidimos echar nuestras carnadas en aguas más propicias a que picasen peces gordos.

A Gaudencia le habían hablado de un local que acababan de abrir en una bocacalle de la Gran Vía, y que se estaba poniendo de mucha moda porque el «chou» era muy bueno.

—Se llama «Buterflí» —me explicó—, y está decorado al estilo chino. Un buen truco para ahorrar en la decoración, porque ya sabes lo baratísimo que sale el estilo chino: pones en el suelo unas esteras; cuelgas del techo unos farolillos de papel; y pintas en las paredes unas letras chinas, que vienen a ser como palotes cruzados y torcidos hechos por un analfabeto. «Buterflí» no es un «cabaré», sino uno de esos sitios finos que llaman «guás».

—No seas acémila, chica —corregí a mi amiga—. Los «guás» son unos agujeritos que hacen los chavales para meter canicas. A un sitio como ese que tú dices no se le llama «guá», sino «buát». Y viene a ser una versión francesa de lo que los yanquis llaman «naiclú».

Gaudencia se quedó admirada de mis conocimientos idiomáticos, y me llamó «polígama». Yo le agradecí el piropo, comprendiendo que la muy burra había querido llamarme «polígona». Que quiere decir, según creo, la que habla varios lenguajes.

Nos pusimos de punta en blanco, y fuimos al «Buterflí» en taxi para dar el paripé de hembras caras. Recuerdo que cuando entrábamos en el local, nos cruzamos con dos monjas que salían.

—Vámonos —dije por lo bajo a Gau, iniciando la media vuelta—. ¿Qué pintamos nosotras en un sitio con esta clientela?

—No seas boba —me detuvo ella, agarrándome de un brazo—. Estas monjitas no han entrado para bailar, como comprenderás, sino para pedir. Ya sabes que ahora te las encuentras pidiendo en todas partes: en las calles, en las casas, en los cafés, en los restaurantes, en los casinos...

—Es verdad —me tranquilicé—. En cuanto se reúnen más de seis personas en cualquier parte, aparecen dos monjas recaudando donativos. Y las pobrecitas, además de infatigables, no se detienen ante ningún obstáculo. Yo las creo capaces de entrar hasta en el infierno, para sacarle una limosna al mismísimo demonio.

Aparte de su decoración china, aquella «buát» era como todas: a base de rinconcitos oscuretes, aptos para el magreo, y con una pista de baile como un pañuelo. Había tanta gente que un camarero, al que le pedimos mesa, nos dijo con sorna:

—Como no quieran sentarse en las rodillas de alguien...

—¿Por quién nos ha tomado? —se enfadó Gau—. Nosotras no nos sentamos en las rodillas de ningún desconocido sin haber sido presentadas previamente.

Ya íbamos a marcharnos por falta de espacio donde posar las nalgas, cuando dos pollitos muy finos nos ofrecieron hacernos sitio en las banquetas que ocupaban junto a una mesa microscópica.

Aceptamos sin hacernos de rogar, pues vimos a varias leonas de pie que habían ido a lo mismo que nosotras. Y en este negocio, como en todos, la rapidez en las decisiones hace obtener muchos triunfos sobre la competencia.

Las banquetas de los pollitos no eran muy anchas, razón por la cual tuvimos que sentarnos muy pegadas a ellos. Pero esta proximidad favoreció el asunto: Gaudencia y yo sólo tuvimos que imprimir a nuestras caderas un ligero meneo para que ambos, excitados por el roce, nos hicieran esas proposiciones que las gentes honestas llaman deshonestas. Y antes de que empezara el «chou», consistente en una marimacho francesa que cantaba con voz de hombre, ya estábamos los cuatro camino de la cama.

Fue una inauguración brillante de la sociedad que habíamos formado Gau y yo, porque los pollitos eran ricos y espléndidos. Nos llevaron en sus coches deportivos (tenían uno cada uno, de esos pequeñajos y colorados que andan como balas) a una casa de citas muy lujosa que había por la cuesta de las Perdices.

En la planta baja de la casa había un salón muy bien puesto, con cuadros y toda la pesca, en el que nos invitaron a beber champán y a comer lo que quisiéramos. Gau, que era una aprovechona, quiso salmón. Yo, menos ambiciosa, me conformé con jamón. Cuando terminamos el piscolabis subimos a las alcobas, que estaban en el piso de arriba y tenían un bidé detrás de un biombo.

Ya he olvidado cómo se llamaba aquel acompañante; pero recuerdo que llevaba una «A» con una coronita encima, bordada en los calzoncillos.

—Sería un archiduque —dedujo Gaudencia cuando se lo conté al día siguiente—. El mío, en cambio, debía de ser duque nada más; pues aunque también tenía coronita en los calzoncillos, la letra bordada debajo era una «D».

No tendría nada de particular que esta deducción de mi amiga fuese errónea, porque sus conocimientos de las costumbres aristocráticas no pasaban de haber hojeado un ejemplar de la revista *Sangre Azul*. Pero aunque aquellos pollitos no ocuparan en el escalafón de la aristocracia los puestos que ella les atribuyó, con nosotras se portaron como príncipes: no nos dieron más lata que la indispensable para despachar el asunto que nos había llevado a aquel lugar, y nos acompañaron después en sus coches hasta nuestra residencia. Ni siquiera hubo necesidad de mencionar la cuestión económica, tema siempre desagradable: ambos tuvieron la delicadeza de aprovechar el rato que permanecimos arreglándonos detrás del biombo, para introducir en nuestros bolsos sendos billetes de mil. Que es lo correcto y lo que solía hacerse antiguamente, cuando el personal estaba mejor educado que ahora.

—Si todos los cabritos fueran tan finos como estos señoritos —comentó Gau—, esta profesión daría gusto de verdad.

Y tan entusiasmada quedó del comportamiento de aquel par de nobles, que desde entonces se hizo monárquica.

«Buterflí» (lo escribo como suena, lo mismo que todas las palabras extranjeras con que me voy topando en la vida) se nos dio muy bien. ¡Qué diferencia entre aquel personal y los horteras de «Larache»! En aquella «buát» todo quisque tenía coche propio y algún «verde» en la cartera. Y a la hora de pagar las consumiciones, nadie armaba trifulca con los camareros por encontrar abusiva la cuenta. Porque ponerse a protestar por una diferencia de algunos duros, es cosa de pobretes poco distinguidos.

Una docena de ligues afortunados nos permitió tanto a Gau como a mí rehacer nuestro guardarropa. Lo que demuestra por millonésima vez que, para que una chica pueda vestirse, el método más fácil es que empiece por desnudarse.

De las faldas sencillitas con blusas y jerseys intercambiables, pasamos a los trajes completos con adornos y toda clase de perendengues.

No siempre, como es natural, lográbamos ligar las dos con una pareja de amiguetes. Muchas noches, sólo una encontraba trabajo con algún solitario. Y cuando eso sucedía, la otra se iba a dormir tranquilamente a la residencia. Porque pese a no haber trabajado, recibía la mitad de las ganancias obtenidas por la que trabajó. He aquí la gran ventaja de actuar en sociedad; sobre todo teniendo en cuenta que ambas, a causa de nuestras circunstancias femeninas, perdíamos forzosamente cinco jornadas laborables al mes.

Fue en uno de esos períodos de inactividad que la Naturaleza impuso a mi compañera, cuando tuve que cargar con Jaimito. Porque Jaimito, cuando nos abordó en nuestra mesa de «Buterflí», iba con intenciones de quedarse con Gau. Pero cuando llegó el momento de hacer trato, ella le dijo:

—De eso nada, monada, porque estoy con mis cosas. Pero puedes arreglarte con mi amiga, que es una preciosidad. Fíjate bien en ella. ¿Menuda chavala, eh?

Y se puso a ponderar mis cualidades físicas, como los tratantes de ganado cuando quieren vender una ternera.

Jaimito la escuchó mientras me miraba indeciso, y parecía no fiarse demasiado de la propaganda que me estaba haciendo mi socia. Con lo cual aquel pollastre empezó a caerme gordo. Porque, ¡vamos!, ¡hacerle ascos a un bombón como yo! ¡Vaya tupé que tenía el mozo!

—Además —añadió Gau para concluir su panegírico—, ¡mírala qué jovencita! Si no es virgen, poco le faltará.

—No te molestes —corté desdeñosa, para vengarme de la displicencia de él—. Creo que éste y yo no llegaremos a entendernos, porque tenemos gustos parecidos: ni a él le gustan las jovencitas, ni yo soporto a los niñatos.

—¿Niñato yo? —se engalló Jaimito, poniéndose colorado—. Te advierto, rica, que yo podría ser tu padre.

—Para serlo —le contesté rápida—, tendrías que haberte acostado con mi madre cuando cumpliste cuatro años. Y a esa edad, lo único que puede hacer un hombre en la cama de una mujer, es pipí.

Esta burrada hizo que el pollastre enrojeciera más aún, y que Gaudencia interviniera para amigarnos.

—Vamos, no seáis críos —nos aconsejó—. Estoy segura de que, si llegáis a entenderos, lo pasaréis bomba. Porque don aquí, sin coba, es un tío majo. Y tú, Mapi, eres una chica de bandera.

—¿Cómo? —se le iluminó la cara a Jaimito—. ¿Te llamas Mapi?

—Sí —le repliqué, chulona—. ¿Pasa algo?

—No. Pero yo tengo una prima que se llama María del Pilar, y también la llamamos Mapi.

—Sois muy dueños —dije—, porque el mote no lo tengo en exclusiva.

Y me encogí de hombros, aunque eso no venía muy a cuento. Pero yo siempre que llevo un vestido que deja los hombros al aire, aprovecho cualquier ocasión para encogerlos. Porque los tengo muy bonitos, y así la gente se fija más en ellos. Y como aquella noche llevaba un vestido de ésos, aproveché y los encogí.

Este encogimiento que puso de manifiesto la perfección de mis hombros, unido a la coincidencia de mi nombre con el de su prima, predispuso a Jaimito en favor mío. Y a partir de aquel momento, empezamos a simpatizar.

Cuando mi socia observó que mi ligue se iba consolidando y que aquella noche cobraría dividendos, suspiró tranquilizada y buscó un pretexto para dejarnos solos.

—Lo siento —fue el pretexto que encontró después de buscarlo un rato—, pero con esto de la menstruación tengo un dolorazo de riñones que tira de espaldas.

Y felicitándose a sí misma por ser tan buena diplomática, se largó.

Poco a poco, Jaimito se fue poniendo tierno. Y tanto

se enterneció que cuando le dije que tenía algo de hambre, no vaciló en invitarme a un bocadillo.

Como Gaudencia me había dicho muchas veces que yo era tonta, porque siempre pedía las cosas más baratas, esta vez pedí un bocadillo de salmón ahumado. Observé con el rabillo del ojo cómo reaccionaba mi acompañante al oír el encarguito, pero no puso mala cara. Lo cual me indicó que era un fulano pudiente.

(Suelo hacer esta prueba con frecuencia para calcular las posibilidades económicas de mis acompañantes. Yo la llamo «el test-bocadillo», y hasta ahora nunca me ha fallado. El «test» se basa en el precio del relleno que elijo para el bocadillo que me ofrecen. Hay fulanos que palidecen cuando lo pido de jamón, y otros que no se inmutan aunque lo encargue de caviar. También he conocido miserables que se negaron groseramente a pagarme uno de pollo, y astutos que pretendieron convencerme de que el chorizo corriente era mucho más digestivo que el pavo trufado.)

Mientras yo me zampaba mis buenas lascas de salmón, metidas entre dos hermosos cachos de pan con manteca, Jaimito me contó su vida. El bocadillo duró tanto en mi boca como su relato en la suya; pues como aquel pollo acababa de salir del cascarón, su vida era cortísima. Me contó que, aparte de llamarse Jaime, se apellidaba Aguado de Mesa.

—Pues ese apellido me suena —dije yo—. Lo he oído en alguna parte. Déjame pensar... «Aguado» primero, y «de Mesa» después... ¡Ya caigo! —concluí—: me suena a esos anuncios de aguas minerales que se oyen tanto por la radio.

Pasando por alto mi interrupción, siguió contándome que era hijo único y que siempre había vivido pegado al pantalón de su papá.

—Yo siempre había oído —volví a interrumpirle— que los hijos se pegaban a las faldas de sus madres, pero no a los pantalones de sus padres.

—Es que yo perdí a mi madre siendo niño —dijo enseñándome una foto que llevaba en la cartera, en la que se le veía de chaval junto a una señora muy alta y muy gorda.

—Pues debías de ser muy despistado —comenté—

para perder a una mamá tan grande.

—Quise decir que murió cuando yo tenía pocos años.

—Haberlo dicho sin rodeos —gruñí azorada por haber soltado esa bestialidad—, y yo no habría metido la pata.

—Al faltar ella —continuó Jaimito sin guardarme rencor—, mi padre me prodigó toda clase de mimos. Crecí pegado a él, defendido por su protección de todos los choques y experiencias que deben sufrir los niños para convertirse en hombres. He vivido hasta ahora en un mundo casi infantil, rodeado de todos los caprichos de un chico mimado. Pero hace unos días, mi padre sostuvo conmigo una conversación muy seria.

»—Hijo mío —empezó—: aunque me duela reconocerlo, ya no eres un niño. Dentro de poco harás el servicio militar, y quiero que entres en filas siendo un hombre completo.

»—¿Acaso no lo soy ya? —dije extrañado—. Tengo la voz ronca y los miembros cubiertos de vello. Tengo un bigote tan poblado como el tuyo, y me consta que podría tener también una hermosa barba si no fuera porque me afeito las mejillas todas las mañanas. ¿Qué me falta todavía?

»—Conocer a las mujeres.

»—Pues conozco a varias —le informé—: a la tía Josefa, a la prima Mapi, al ama Benita, que me crió...

»—Me emociona tu ingenuidad —dijo secándose una lágrima a hurtadillas—, pero no me refiero a esa clase de conocimiento.

»Y acto seguido me explicó, con pelos y señales, a lo que se refería en realidad. Yo le comprendí, y aquí me tienes dispuesto a todo.

—¿A qué le llamas tú todo? —quise concretar, pues con aquel niñato inexperto convenía atar todos los cabos de antemano.

—A familiarizarme totalmente con la vida sexual. Vine aquí en busca de una profesora, a la que pienso pagar por sus lecciones lo que me pida.

—Pero ¿de veras no has estado nunca con ninguna mujer? —pregunté mirándole asombrada.

—Nunca —me confesó él, un poco avergonzado—. Ya te dije que siempre estuve pegado a los pantalones de papá. ¿Quieres darme tú la primera clase?

Cavilé un rato antes de responder. Por un lado, el Jaimito aquel era una bicoca puesto que tenía la intención de pagar con esplendidez a su iniciadora; pero por otro, yo no me consideraba lo bastante experta como para iniciarle en ese follón.

—¿Sabes que tu caso es una papeleta? —le dije dudando—. Yo sé bastante de eso que quieres aprender; pero tanto como para dar lecciones a un primerizo...

—Eso me pareció cuando te vi tan jovencita —me confesó él con un suspiro—. Por eso le eché el ojo a tu amiga, que por su aspecto y su desparpajo me dio la impresión de ser una verdadera catedrática en la materia.

—Y lo es —confirmé—, porque Gaudencia lleva más tiempo haciendo prácticas. Pero no obstante —añadí, temerosa de que aquel mirlo blanco pudiera volar—, podrías intentarlo conmigo.

—Yo encantado, figúrate —se animó el aprendiz—. Aparte de que te encuentro muy atractiva, lo cual puede favorecer mi aprendizaje, ya es demasiado tarde para ponerse a buscar otra profesora.

Y después de fijar en mil pesetas el precio de la lección, pagaderas a tocatejá cualquiera que fuese el resultado, salí del «Buterflí» con aquel tontorrón.

PEDAZO 20

JAIMITO TENÍA UN COCHE con capota de quita y pon. De esos que, según creo, llaman «descapullables». En él me llevó a una casa moderna, situada en una ampliación del «Barrio de los líos» que estaban construyendo a toda prisa. Deduje que como los líos aumentaban en Madrid con tanta rapidez, habían tenido que ampliar el barrio porque ya no cabían en los grandes bloques que se construyeron inicialmente.

Me extrañó que un chico tan puro tuviera su domicilio en una barriada tan «sexy», y le dije un tanto incrédula:

—Pero ¿es posible que tú vivas aquí con tu papá?

—¡No, por Dios! —se escandalizó él—. Nuestra casa, como todas las casas de la gente bien, está en el barrio de Salamanca, cerca de una iglesia. El pisito que tengo aquí es una «garsonier» que me ha puesto mi padre, para que pueda hacerme hombre cómodamente. Éste es un sitio que, según él, facilitará mucho mis conocimientos del alma femenina.

—Del alma, y de lo que no es el alma —opiné—. Ahora veo que eres un chico mimado de verdad. Porque hay padres que miman a sus hijos dándoles dinero para que se diviertan con chavalas. Pero de eso a ponerles un «picadero» para que la diversión sea completa...

—Ya te dije que papá me quiere mucho —le justificó Jaimito—. Y como además, modestia aparte, es inmensamente rico...

«¿Por qué hay tantos idiotas en el mundo que nacen de pie? —me dije para mis adentros en aquel momento. Y yo misma me respondí—: Debe de ser porque, como tienen la cabeza hueca, los pies les pesan más.»

La casa era muy alta, hecha con esa arquitectura moderna que hace parecer los edificios montones de cajas de zapatos. Estaba solitaria, rodeada de solares en algunos de los cuales ya habían empezado a edificar.

—¿Cómo se llama esta calle? —pregunté, mientras Jaimito abría el portal con su llavín.

—Acaban de empezarla y no tiene nombre todavía. Supongo que buscarán una nomenclatura en serie, para bautizar todas las calles de esta ampliación. Es lo que suele hacerse en estos barrios nuevos: los hay con nombres de ríos, de pájaros, de escritores, de vírgenes...

—Pues a las calles de éste —sugerí mientras entrábamos en el ascensor—, teniendo en cuenta el tipo de gente que lo habitará, lo más propio sería ponerle nombres de cortesanas: calle de la Pompadour, calle de la Du Barry...

Mientras él se reía, llegamos al ático, donde estaba su «picadero».

—Te advierto que es la primera vez que vengo a este piso —me dijo—. Vas a estrenarlo tú.

—Hoy va a ser para mí una noche de estrenos —comenté, mirando con intención al primerizo—. Porque no es sólo el pisito lo que estrenaré.

Se puso un poco colorado, no sé si por efecto de mis palabras o por el esfuerzo que estaba haciendo para girar la llave de la cerradura. Por fin, después de un intenso forcejeo que acompañó con palabrotas propias de un muchacho virgen (tales como «¡caracoles!», «¡rediez!» y «¡caca!») logró abrir la puerta. Y entramos en el pisito sin estrenar, que apestaba todavía a pintura fresca.

—¿Pues sabes que tu papá tiene buen gusto? —comenté cuando entramos en ese cuarto principal que los finos llaman «livinrúm».

Porque además de que el suelo estaba cubierto por una alfombra llena de dibujines que daba pena pisar, no faltaba allí ninguno de los elementos indispensables para que en un «picadero» se pueda «picar» con comodidad:

Un mueble para el bebercio, lleno de botellas y copas, de esos que al abrirle la tapa se llenan de luz.

Un «tocadiscos» con cambio automático, para que el «picador» no tenga que levantarse en plena faena a poner otra ración de música.

Una chimenea de quemar leña para que haga bonito.

Un sofá ancho y cómodo que se utiliza para ir caldeando a las señoras.

Y un dormitorio con cama grande, en la que se termina la operación con las señoras ya caldeadas.

El conjunto estaba iluminado sabiamente con luces suaves e indirectas, demostrando que el señor Aguado de Mesa entendía un rato largo de cama. Pero como el hijo de aquel experto era un novato, decidí quitarme alguna ropa para que fuera entrando en situación.

—El pisito es una pocholada —dije despojándome del abrigo—, pero la calefacción es una birria. Aquí hace un frío que pela.

—Será que las ventanas no ajustan bien —opinó él—, porque los radiadores están calientes. Tendré que decirle a papá que ponga burletes.

«Este chico —pensé preocupada— está acostumbrado a que todo se lo haga su papá. A lo mejor, cuando le llegue el momento de actuar conmigo, llama a su papá para que le eche una mano.»

Para entrar en calor, abrí una de las botellas que el previsor padre de Jaimito había puesto en el mueble-bar. Y echamos unos tragos. Pero como el frío no se nos pasaba, decidimos encender la chimenea.

Leña no faltaba, porque aquella alhaja que Jaimito tenía por papá había pensado en todo. Bueno: en casi todo, porque en el tiro de la chimenea no se le ocurrió pensar. Y en cuanto pretendimos encenderla, el humo se negó a salir por el tubo que le habían asignado. Debía de ser un humo muy friolero, pues prefirió quedarse dentro de la habitación para meterse por nuestros ojos y gargantas, haciéndonos llorar y toser.

—Pues empieza bien mi jornada laboral —masculté, soltando unos lagrimones como garbanzos.

—Hay que esperar a que se caliente el tubo —me explicó Jaimito entre tos y tos—. Porque con el tubo frío, la chimenea no puede funcionar.

—A este paso —volví a mascullar—, acabaremos a las mil y monas. Primero calentar el tubo para que la chimenea tire, luego calentarte a ti para que tires tú...

Pero al dichoso tubito no se le pasaba la frigidez. En vista de lo cual, poco antes de que muriésemos asfixiados, Jaimito tuvo la feliz idea de apagar el fuego empleando un sifón a modo de extintor. Luego tuvimos que ponernos los abrigos y abrir las ventanas para que se fuese la humareda, con lo cual nos quedamos tiritando y sin ganas de hacer nada.

—Siento lo ocurrido —se excusó mi anfitrión cuando, disipada la niebla, pudimos vernos las caras—. Supongo que ahora no te apetecerá darme esas lecciones.

—Lo único que me apetece —repliqué dando diente con diente— es tomarme unas cuantas aspirinas para cortar el catarrazo que estoy pescando.

Por suerte, el papá de Jaimito había previsto esa contingencia, y había un tubo de aspirinas en el armario del cuarto de baño. Me tomé dos tabletas con un buen trago de coñac, y rogué al muchacho que me llevara en su coche a mi casa.

—Si has esperado tanto tiempo para aprender a hacer el amor —le dije poniéndome un dedo debajo de la nariz para contener un estornudo—, es mejor que esperes otro poco para dar la primera lección en condiciones más propicias. Con este frío y este olor a humo, tu iniciación en la vida sexual sería un fracaso. Y un fracaso inicial puede crearte un complejo para siempre. ¿Comprendes?

—Sí. Pero —añadió preocupado— ¿qué voy a decirle a mi papá?

—Dile que es imprescindible que te resuelva uno de estos problemas: o que atice la caldera de la calefacción central, o que llame a un fumista, o que te compre una estufa. Porque si es importante el deseo para hacer el amor, también lo es la temperatura para poder hacerlo. Y antes de llevarme a casa, si quieres darme algo por el consejo, te lo agradeceré. No puedo permitirme el lujo de perder totalmente el jornal de una noche, porque yo no tengo un papá que me ponga las lentejas como se las ponían a Fernando VII.

PEDAZO 21

A JAIMITO, COMO A LA MAYORÍA de los clientes que atrapábamos en «Buterflí», no volvimos a verle el pelo. Supongo que, una vez resuelto por su padre el problema de la temperatura en su flamante «picadero»; alguna fulana más ducha que yo en los tejemanejes sexuales se encargaría de estrenar ambas cosas: el pisito y su inquilino.

Yo me alegré en el fondo. Porque nunca me ha gustado lidiar becerretes inexpertos que ni siquiera saben como deben embestir.

Aquel año, como todos en general, el negocio flojeó sensiblemente con la caída de la primera nevada. En realidad, sólo cayeron cuatro copos, que duraron en las calles lo mismo que un merengue a la puerta de un colegio. Pero fueron suficientes para retener en sus establos al ganado masculino.

Los fríos ayudan al hombre a permanecer junto a la mujer propia, pues da mucha pereza salir de casa en busca de la ajena. Nuestra clientela en los meses invernales se reduce a un grupo de solteros y viudos fijos, incrementado por algún marido forastero que viene a la capital en viaje de negocios.

Este contingente poco nutrido no puede asegurarnos ingresos regulares, produciéndose altibajos muy deprimentes en nuestra economía.

Fue en una de estas rachas de depresión cuando nos ocurrió aquella aventura tan curiosa que empiezo a relatar en el próximo párrafo.

Era una noche fatal, de las que trae diciembre en vísperas de las Navidades. Los sitios nocturnos por esas fechas están casi desiertos, pues los hipócritas gastan todo su dinero en la familia para hacerse perdonar los pecados que cometieron durante todo el año.

Gaudencia y yo atravesábamos una racha desastrosa. Hacía casi una semana que no hacíamos un ligue; y hasta teníamos que pagarnos nuestras consumiciones en «Buterflí», porque ni siquiera se sentaba un tío a nuestra mesa para invitarnos a cambio de un rato de palique.

—Como esto siga así —gruñó Gau atizándose de ginebra—, tendré que seguir tu ejemplo y colocarme de chacha.

La orquesta tocaba sin brío piececitas lentas, pues no era cosa de partirse el pecho dándole a los instrumentos para que bailaran cuatro gatos.

El último «chou», en el que actuaban un malabarista chino con dos pelotas y una bailarina belga con dos tetas, había terminado ya. Faltaba media hora escasa para cerrar la «buát». Todo parecía indicar que también aquella noche nos acostaríamos solas y con los bolsos vacíos. Otras fulanas que ocuparon algunas mesas se habían marchado ya, despotricando contra lo difícil que se estaba poniendo la mala vida.

—Aquí no hay nada que hacer —suspiré haciendo una seña al camarero para que nos cobrara—. Y ya que no encontramos trabajo, procuremos al menos no perder el descanso.

—Espera un momento —me dijo Gau, echando una ojeada hacia la puerta—. Acaban de entrar dos tipos que nos han enfilado. Y o mucho me equivoco, o vienen hacia aquí.

—Ojalá no te equivoques —deseé de todo corazón—, porque mañana me mandará la cuenta la modista. Y me faltan quinientas pesetas para poder pagarla.

Afortunadamente, mi amiga y socia no se equivocó. Como en el local no quedaban más mujeres que nosotras, los recién llegados no tuvieron oportunidad de detenerse haciendo la elección. Y avanzaron (sin desvíos) hasta nuestra mesa.

—Buenas noches —saludó uno en nombre de los dos—. ¿Podemos invitarlas a tomar una copa?

En épocas del año más prósperas, cuando abundan los clientes, antes de aceptar una invitación solíamos fijarnos en la catadura de los invitadores. Y si veíamos que tenían aspecto de pobretes o patanes, la rechazábamos. Pero en aquel mes nefasto, en el que las invitaciones escaseaban tantísimo, aceptamos aquella copa con la misma avidez que un vaso de agua en el desierto. No vimos, por lo tanto, la pinta de aquellos individuos, y así fue como nos encontramos sentadas en compañía de una pareja rarísima.

—¡Jolín! —se le escapó a Gau, cuando se vio flanqueada por un tío con el pellejo oscuro como boca de lobo.

Pero como el tío no entendía el cristiano, según nos dijo después su compañero, creyó que el «¡jolín!» de Gau era un saludo parecido a «¡hola!». Y contestó muy finamente con un camelo, al tiempo que nos dedicaba una sonrisa de oreja a oreja.

Yo también me asusté ante aquella cara tan negra, y retrocedí como si acabara de ver al Coco, que se lleva a las niñas que duermen poco.

Gracias a Dios el fulano que acompañaba al tostado, que además de ser tan blanco como el papel donde estoy escribiendo sabía nuestro idioma, nos tranquilizó explicándonos que aquel moreno era un extranjero corriente.

—No tan corriente —le discutió Gaudencia—. Porque yo tengo vistos muchos extranjeros tan paliduchos como una servidora, y tan rubiajos como mi amiga.

—Es que el terreno extranjero es muy amplio —expliqué yo—, y en él hay indígenas de muchos colores.

—Pero del color de éste yo nunca había visto ninguno —insistió ella, mirando al moreno, que seguía sonriendo sin entender ni papa—. Porque en realidad no es completamente negro, como los salvajes que salen en las películas.

—Eso es verdad —tuve que reconocer—. Fijándose bien, su piel tiene un tono achocolatado tirando a verdoso.

—Exacto, señorita —aplaudió el rostro pálido—. Ha definido usted con mucha exactitud la pigmentación de este caballero. Y su tonalidad tan especial se debe a que no pertenece a ninguna tribu africana, sino a una ramificación euroasiática de la raza árabe.

—¡Chúpate ésa! —comentó Gau, que no había entendido nada.

A mí aquel sujeto tan redicho, que nos hablaba de usted con una palabrería tan selecta, me cayó gordo. Tampoco me atrajo físicamente, porque no hacía falta tocarle para darse cuenta de que era fofo y mantecoso. Además, quizá por contraste con la morenez del negroide que le acompañaba, la blancura lechosa de su piel me pareció enfermiza.

Decidí, por lo tanto, que ni Gaudencia ni yo nos acostaríamos con ninguno de aquellos sujetos tan repelentes, y que era mejor dárselo a entender cuanto antes para que no se hicieran ilusiones. De manera que, ni corta ni perezosa, le disparé al fofo:

—Pues si tienen interés en decir algo, dense prisa; porque mi amiga y yo, en cuanto bebamos la copa, nos iremos a casa.

—Confío en que cuando oigan la proposición que voy a hacerles, no se irán —empezó el mantecoso—. Ante todo, permítanme que me presente: Mateo Sanz, de la Sección de Protocolo de Relaciones Públicas y estoy aquí en misión oficial.

Debió de ver el choteo que se pintó en nuestros rostros cuando dijo esto último, porque repitió:

—En misión oficial, sí. Este señor que me acompaña —añadió señalando al oscurito— pertenece al séquito del Rey Mohama III, de la Carabia Troglodita. Como ustedes ya sabrán por la prensa, Su Majestad llegó esta mañana invitado por el gobierno.

—Lo sé —presumí yo, que lo supe por chiripa, pues había estado por la tarde en la peluquería (único sitio donde leo periódicos) y vi en una primera plana el retrato del recién llegado—. Por cierto que a primera vista no creí que fuera un rey, sino una monja. Como los árabes siempre van envueltos en trapos que parecen hábitos...

El funcionario fofo pasó por alto esta última observación y continuó:

—Mohama III ha sido alojado en el Palacete de los Infantes. También estarán ustedes informadas de que ahora, como en este régimen no hay infantes, el gobierno utiliza el palacete para alojar a los huéspedes ilustres.

—Eso sí lo sabía yo —dijo Gau, muy orgullosa de saber algo.

También este comentario lo pasó por alto el funcionario fofo, aunque supongo que para pasar por alto una barbaridad tan gorda, tuvo que dar el salto mayor de toda su carrera.

Antes de que el blancuzco reanudara su explicación,

el negruzco, que no entendía ni jota, preguntó algo así:

—«¿Abdul juman jamala já?»

A lo que el blancuzco replicó:

—«Jaika jif adara put».

A mí eso de «put» me sonó fatal, y estuve a punto de atizarle un tortazo al fofo. Porque hay muchas maneras de referirse a una con más finura y sin ofender. Pero luego pensé que a lo mejor eso de «put», en aquella jerga endemoniada, no quería decir lo mismo que en castellano. Y cerré la mano con fuerza para que no se me escapara la torta.

—Este caballero me ha preguntado —tradujo el de Relaciones Públicas— si aceptan ustedes mi proposición. Y yo le contesté que aún no tuve tiempo de hacérsela.

—Pues desembuche de una vez —le espoleó Gaudencia—, que aquí no estamos para pasarnos la noche meneando la lengua.

—Concretaré con permiso de ustedes. Resulta que nuestro huésped augusto...

—¿Augusto? —interrumpí sorprendida—. ¿Pero no dijo antes que se llamaba Mohama? ¿En qué quedamos?

—Augusto no es el nombre del Rey —me aclaró pacientemente el fofo—, sino un adjetivo que califica su categoría. Como estaba diciendo, resulta que Su Majestad es polígamo.

—¡Vaya una cosa! —me reí—. No hace falta ser rey, ni venir de tan lejos, para ser eso. También aquí, todo el que puede, lo es.

—Pero la poligamia, en la Carabia Troglodita, no es un placer que el hombre practica a escondidas, sino un deber que le impone su religión. Tener allá una sola esposa es un delito que castigan las leyes. Por esta razón Mohama III, que por ser Rey tiene que dar ejemplo, tiene cuarenta y siete mujeres.

—¡Qué cifra tan rara! —observó Gau—. Debería casarse tres veces más, para tener medio centenar en números redondos.

—Eso es lo que piensa hacer en cuanto vuelva a su país —dijo el blandengue—. Porque él siempre tiene cincuenta esposas. Pero como la semana pasada hubo en el país un poco de peste bubónica, se le murieron tres.

—¡Eso es enviudar, y lo demás son tonterías! —exclamé entusiasmada.

—Dice este señor del séquito —prosiguió el funcionario— que cuando le dieron la noticia de esta triple defunción, el monarca pasó un rato malísimo. Un rato que por fortuna sólo duró diez minutos, pues las cuarenta y siete supervivientes se encargaron de consolarle.

—Todo eso es muy interesante —admití—, pero no creo que tenga nada que ver con la proposición que usted iba a hacernos.

—Sí tiene que ver —dijo el fofo—. Porque Su Majestad, habituado a cumplir sus deberes maritales con tantas mujeres, no puede dormir solo. Tengan en cuenta que todas las noches, allá en su país, pasan por su cama cinco o seis esposas.

—¡Qué barbaridad! —exclamó Gau—. Más que una cama, eso es un paso de peatones.

—Y más que un hombre —añadí yo—, ese rey debe de ser un mono.

—Los árabes, en ciertos aspectos, tienen fama de poseer mucha vitalidad —nos informó el fofo.

—¡Qué remedio les queda a los pobres —me compadecí—, si sus creencias los obligan a darse esos trotes nocturnos para cumplir con los preceptos de su religión!

—¿Qué preceptos ni qué niños muertos? —se carcajeó Gaudencia, en una de sus frecuentes explosiones de ordinariez—. Lo que tiene esa religión es mucha mandanga.

—Desconozco la cantidad exacta de mandanga que puedan tener las ideas religiosas de Su Majestad —dijo cortésmente el funcionario—, pero lo cierto es que él las obedece. Y esta obediencia le ha habituado a hacer una vida sexual intensa. Siempre que se desplaza a cualquier punto del extranjero, le acompañan todas sus esposas. Ellas hacen el viaje en un avión especial. Pero este avión, que debía llegar a Madrid al anochecer, ha tenido que tomar tierra en Roma a causa de una avería. Y como hasta mañana no llegará aquí, la Sección de Protocolo me ha encargado que le resuelva al Rey el problema de esta noche.

—¿Qué problema? —preguntó Gau, que estaba en Babia como de costumbre y no atendía a las explicaciones del fofo.

—El de suministrarle algunas mujeres hasta que lleguen las suyas.

—Entonces —comprendí— ustedes han venido a proponernos que nos acostemos con Mohama.

—Exacto —dijo el funcionario—. Este señor del séquito conoce los gustos de Su Majestad, y me acompaña para seleccionar el material. Yo vengo a cumplir esta misión como intermediario; o como embajador; o como ustedes prefieran llamarme.

—Pues yo —se sinceró Gau— preferiría llamarle alcahuete.

Por fortuna, la orquesta terminaba en aquel momento su actuación; y sus últimos acordes de despedida fueron tan estrepitosos, que el blandengue no oyó la burrada de Gaudencia. Me alegré porque gracias a no haberla oído, no se ofendió y nuestras negociaciones siguieron prosperando.

—¿Y qué piensa pagarnos el «Mojama» ese? —se informó mi socia—. Supongo que un buen pellizco, porque los reyes deben de tener un sueldo chanchi.

—El calificativo de chanchi, en este caso, se queda corto —corrigió el funcionario con su empalagosa finura—. Los ingresos de Su Majestad son tan fabulosos, que los servicios de todas las mujeres reclutadas serán pagados con esplendidez.

—¿De todas? —repetí con extrañeza—. Pero ¿cuántas piensa usted reclutar?

—Media docena como mínimo. A un hombre con cincuenta mujeres a su disposición todas las noches, no se le pueden ofrecer menos de seis para que se quede tranquilo.

—¿Pues sabe lo que le digo? —decidió Gaudencia—: que por mi parte, acepto. Y supongo que mi amiga también. ¿Verdad, Mapi?

—Sí —me adherí a su decisión—. El asunto no está mal.

—¿Cómo mal? —me rebatió ella—. Lo que está es muy interesante por partida triple: primero, porque nos pagarán bien; segundo, porque siempre es un honor acostarse con un rey, por muy negruzco que sea; y tercero, porque me inspira curiosidad ver cómo se las apaña ese gorila para despachar a las señoras por medias docenas.

PEDAZO 22

LAS SEIS FULANAS RECLUTADAS para aplacar los apetitos
del ilustre huésped fuimos conducidas a su alcoba oficial
en una furgoneta que puso a nuestra disposición la oficina de Relaciones Públicas. Al frente del grupo iban
el blancuzco que nos reclutó, y el negruzco perteneciente
al séquito del monarca.

No lo digo por presumir, pero Gaudencia y yo éramos
las más majas del lote. Había otras dos que no estaban
mal de cuerpo, pero lo tenían más usado que nosotras
por llevar más tiempo en el gremio. Pero la pareja res-
tante la formaban dos auténticas pedorras, con tantas
piezas de tejido adiposo que hubieran podido venderlo
por metros.

—El Mohama de marras —comenté por lo bajo con
Gaudencia— debe de tener un estómago como una catedral. Porque si es capaz de tragarse a este par de zo-
rronas...

—Es que los árabes, según me han dicho, son la monda —me cuchicheó mi amiga—: cualquier cosa que tenga faldas, los excita. Aunque sea una mesa camilla.

Las pedorras llevaban trajes verdes y abrigos rojos,
combinación de colorido que se da de bofetadas, pero
que tiene mucha aceptación entre las mozas rústicas y
las furcias económicas.

Después de recorrer durante media hora diversos an-
durriales, la furgoneta se detuvo.

—Ya hemos llegado, niñas —dijo el fofo, con voz de
eunuco encargado de un harén.

El Palacete de los Infantes estaba (y supongo que se-
guirá estando, porque era un edificio muy grande y no
es fácil que lo hayan cambiado de sitio) en las afueras de
Madrid. Debía de tener un parque muy bonito alrededor; aunque yo no lo vi porque llegamos de noche, y ya
se sabe que de noche todos los parques son negros.

En la escalinata principal había dos centinelas, uno a cada lado, con guantes blancos y unos fusilitos pequeños, de esos que llaman ametralladores. Cuando pasamos delante de ellos para entrar en el palacete, los dos se pusieron muy firmes y estirados, agarrando el fusilito de manera que el cañón les quedaba a la altura de las narices.

—¿Qué hacen? —pregunté al fofo.

—Están presentando armas —me contestó.

—Pues tanto gusto —dijo una de las pedorras, que presumía de bien educada.

Luego he sabido que las armas se presentan a la gente importante. Pero como los centinelas suponían que un rey sólo recibe visitas de alto rango, rendían honores a todas las personas que entraban por la puerta. ¡Qué colorados se hubieran puesto si llegan a saber que no éramos damas de la aristocracia, sino fulanas de la «putocracia»!

Guiadas por el blanco del protocolo y el negro del séquito, cruzamos un vestíbulo de esos que salen en el «cinemascope». Más de una se quedó un buen rato con la boca abierta, al ver tanto lujo reunido.

Todo el suelo estaba cubierto por una alfombra que daba lástima pisar, pues representaba un jardín con flores y hierbajos de todas clases. Pero no acababa allí el derroche: ¡también, cubriendo las paredes, había alfombras colgadas! Y en cada una de ellas podían verse escenas de caza y de guerra, hechas muy mañosamente con hilos de distintos colores. En el techo, un pintor de mucho mérito había pintado un cielo con unas nubes tan bien copiadas que daban ganas de llevar paraguas por si caía un chaparrón.

¡Ah! Y encima de todos los muebles había jarrones de esos que acostumbran hacer los chinos; que vienen a ser como botijos muy grandes decorados a mano, pero sin pitorro.

No tuvimos mucho tiempo para recrearnos en la contemplación de tanta maravilla, porque nuestros guías nos hicieron subir por una escalera hasta el primer piso.

—¡Pues vaya una birria de palacete! —refunfuñó la pedorra más gorda, mientras subía resoplando—. En la pensión donde yo vivo, que no tiene tantas pretensiones, hay ascensor.

Cuando llegamos arriba, nos metieron por un pasillo que conducía a las habitaciones privadas de Su Majestad. A ambos lados del pasillo había varias puertas, y junto a cada una de ellas montaba guardia un centinela. Pero éstos no eran españoles, como los de la puerta principal, sino negroides que habían venido con el séquito del Rey. Todos vestían a la usanza de su país, con lo cual quiero decir que iban hechos unos mamarrachos.

—¡Qué ropas tan raras usan estos morenos! —comentó una, cuando pasábamos ante aquellos entrapajados—. ¿Por qué se vestirán así?

—Porque como pertenecen a una raza dormida, que aún no ha despertado a la civilización, van todavía envueltos en las sábanas de su sueño ancestral.

Esta frase la soltó una pelirroja incluida en el lote, que debía de ser culta porque llevaba un libro en el bolsillo del abrigo.

Nos metieron por fin por una puerta que había al final del pasillo, que era una salita muy dorada con una mesa en el centro y varias sillas alrededor.

—Esperen aquí —dijo el fofo despidiéndose—. Y buenas noches.

Y allí nos quedamos, mientras el fofo y el «seleccionador» que le había acompañado para formar el equipo, se marchaban por el foro. Cada chica se sentó donde quiso, a esperar los acontecimientos.

—Parece que estamos en la antesala de un dentista —dijo Gaudencia.

Lo parecía, en efecto, aunque no estábamos allí para que nos hurgaran en la dentadura precisamente. Y siguió pareciéndolo poco después, al abrirse la puerta para dar paso a un fulano uniformado que anunció:

—Que pase la primera.

Todas nos miramos desconcertadas, y fue Gaudencia la que dijo al fulano:

—Aquí no hay ninguna primera, porque todas hemos llegado al mismo tiempo.

Entonces el que se desconcertó fue el fulano, que estuvo cavilando unos momentos antes de decidir:

—En ese caso, iré a consultar con Su Majestad.

Y se fue por donde había venido.

—¿Quién será este tío del uniforme?

—Puede que sea el ayudante de campo del rey —dijo la pelirroja, haciendo un nuevo alarde de cultura—. Todos los reyes y las mariscales tienen siempre un ayudante de campo.

—Pues éste —razoné yo—, por la clase de ayuda que presta, más que un ayudante de campo debe de ser un ayudante de cama.

Nos quedamos un rato silenciosas, esperando que Mohama hiciese lo que le diera la real gana.

—Esto va para largo —murmuró disgustada la pedorra más voluminosa, que tenía los ojos tan pintados como si se los hubieran puesto a la funerala de dos puñetazos—. Si llego a saberlo, me habría traído la labor.

—¿Qué labor estás haciendo? —se interesó una morena que fumaba rubio, y que no estaba mal de tipo aunque ya tenía sus añitos.

—Unos calzones para mi marido —explicó la gorda suspirando—. Todos los inviernos le hago unos calzones de lana. Como el pobre es un calzonazos...

—Yo no sé cómo le aguantas, la verdad —intervino la otra pedorra—. Hay que ser una verdadera mártir para no pedir la separación de un hombre tan inmoral, que te consiente hacer la vida que haces.

—Reconozco que soy demasiado buena —admitió la víctima del calzonazos volviendo a suspirar—, pero todos en este mundo tenemos que saber llevar nuestra cruz con resignación.

Pasaron algunos minutos más, y el ayudante de cama no aparecía.

—Pues a este paso —empezó a impacientarse la morena que fumaba rubio—, estaremos aquí hasta el mediodía. Y a mí me convendría irme pronto, porque a las siete de la mañana tengo que dar de mamar.

—¿A quién? —preguntó Gau.

—¿A quién va a ser, estúpida? —dijo la fumadora—. Pues a mi hijo.

—¿Cómo? —intervine yo, admirada—. ¿Tienes un hijo?

—Sí, rica. Todas, tarde o temprano, tenemos algún descuido. Ésa es la razón de que haya por ahí tantos hijos de...

—¡Callad! —interrumpió la pelirroja, escuchando—. Alguien viene.

Nos callamos y oímos unos pasos en el corredor, que precedieron a la brusca apertura de la puerta. En el umbral apareció el ayudante uniformado, que nos comunicó:

—Dice Su Majestad que pasen primero las dos gordas.

—¿Las dos? —preguntaron al unísono ambas pedorras—. ¿Es que piensa despacharnos por parejas?

—Son las órdenes que he recibido —respondió el fulano—. Tengan la bondad de acompañarme.

—Adiós, chicas —se despidió la pareja de voluminosas cuando salía.

—Adiós y buena suerte —replicamos nosotras—. Y no nos dejéis al «Mohama» hecho unos zorros, para que también las demás podamos trabajar.

Cuando se fueron, las cuatro restantes nos quedamos comentando:

—¿Por qué habrá querido empezar por las gordas? —preguntó la morena.

—A mí me parece lógico —dijo la pelirroja con su repipiez habitual—. Cuando se hace un menú, se pide primero el plato fuerte y luego los postres.

—Pues a ver si ésas acaban pronto, porque he dejado al niño con el portero de mi casa. Y el portero no puede darle de mamar.

—Si al menos hubiera aquí algunas revistas para entretenernos —se quejó Gau—, como en las antesalas de los médicos...

—Por eso yo, que soy muy precavida, me traje un libro —dijo la pelirroja sacándolo del bolso—. Éste es graciosísimo. Yo me estoy mondando de risa.

—¿Es una novela de algún escritor? —pregunté.

—¡Quiá! Es un rollo escrito por un doctor. Se titula *Introducción a la vida sexual*, y explica a las futuras esposas, en quinientas páginas, lo que nosotras hacemos en cinco minutos.

—Ya hace falta imaginación para llenar un tomo tan gordo hablando de una cosa tan sencilla —opinó Gau.

—Eso es precisamente lo divertido del libro: la fantasía del autor para echarle teatro al asunto. En un capítulo te habla de los complejos, en otro de las inhibiciones, en otro de las influencias psíquicas sobre la líbido...

—¡Hija, qué cosas tan rarísimas!

—Y al final —concluyó la pelirroja—, la futura esposa no saca nada en limpio, porque el autor no le explica lo principal: que todo consiste en tumbarse, relajarse y esperar los acontecimientos.

Aún no había transcurrido la media hora completa desde que se fueron las voluminosas veteranas, cuando el fulano uniformado volvió a entrar en la antesala.

—Las dos siguientes —llamó.

—¿Tan pronto? —alzó la vista del libro la pelirroja, sorprendida—. Pero ¿dónde están las gordas?

—Ya terminaron y salieron por otra puerta —dijo el ayudante.

—¡Caramba con el Mohama! —se maravilló Gau—. ¡Buena escopeta debe de ser, para disparar tan rápido y haciendo dobletes!

—¿No os importa que yo entre en esta tanda? —nos dijo la morena—. Se está haciendo tarde y temo que mi niño pierda la tetada.

Gaudencia y yo accedimos, y la morena se fue con la pelirroja al lecho real.

Mi amiga, en cuanto nos quedamos solas, abrió su bolso y se puso a retocarse todas las pinturas de la cara.

—A medida que se acerca el momento —me confesó—, voy poniéndome un poco excitada.

—¡Bah, qué tontería! —me encogí yo de hombros—. ¿Por qué?

—Piensa que no se trata de un hombre cualquiera. ¡Es un rey, jolines! ¿Crees que no es motivo suficiente para estar nerviosa? ¡Yo, la hija de un modesto sacristán manchego, voy a acostarme con una testa coronada! ¡Lo mismito que en una novela rosa!

—Con algunas diferencias —frené yo su entusiasmo—. Porque los reyes de las novelas rosas suelen ser completamente blancos. Y acaban acostándose con las chicas modestas, es cierto, pero después de casarse con ellas. No antes, ¿comprendes?

—Bueno: el orden de los factores, como nos decían en la escuela, no altera el producto —dijo Gau, excitándose cada vez más—. Puede que el rey, cuando nos hayamos acostado, se enamore de mí y decida casarse conmigo.

—¿Estás loca? —exclamé, mirándola preocupada—. No creerás en serio que existe ni la más remota posibilidad de que ocurra ese disparate, ¿verdad?

—¿Por qué no? —siguió soñando ella—. Si el Majestad de marras fuera monógamo, admito que mi sueño sería irrealizable. Pero siendo tan polígamo como es, no me parece tan difícil. Donde caben cuarenta y siete esposas, caben cuarenta y ocho. Y si yo le hago feliz...

—Pues por mí, puedes hacerle todas las cucamonas que quieras para darle gusto —dije con indiferencia—. Yo pienso limitarme a cumplir para cobrar. Y estoy tan tranquila como si el reyezuelo ese fuera un cliente corriente y maloliente. Lo único que me preocupa es saber cuánto nos pagará y en qué moneda. Porque si el tío no tiene pesetas, y nos da las piastras, o las rupias, o las puñetas que circulen en su país, nos hace la pascua.

—¡Vamos, anda! —rechazó Gau, incrédula—. No irás a decirme que no te emocionaría que el rey te propusiera hacerte su esposa.

—Te lo digo y te lo repito —insistí—. No sólo me no emocionaría en absoluto, sino que le mandaría a hacer gárgaras. ¿Crees que puede seducirme que me encierren para siempre en un harén, como a todas las esposas de la Arabia Troglodita? ¡Qué horror! Los harenes, al fin y al cabo, vienen a ser lo mismo que casas de niñas para un solo cliente. Y esas casas sólo subsisten en los países salvajes, porque en Europa ya están desapareciendo.

—Admito que la vida en el harén de Mohama III será casi igual que en casa de doña Lola Lunares —transigió Gau—. Pero siempre es más bonito ser esposa de un monarca que pupila de una alcahueta.

No pudimos continuar tan apasionante conversación, porque en aquel momento se abrió la puerta de la antesala y el fulano del uniforme nos dijo:

—Pasen ustedes.

PEDAZO 23

LA ALCOBA DEL REY, dicho sea con todos los respetos a Su Majestad, olía a caballo. O quizá fuera a camello. En todo caso, el olor no tenía nada de humano.   .

Pero no era Mohama el que olía de este modo, como temí al principio, sino unos pebeteros orientales colocados en las esquinas de la habitación para perfumar el ambiente. Bueno: eso de perfumar es lo que pretendían, aunque el resultado obtenido no fuera muy del agrado de las pituitarias occidentales. El caso es que aquellos endiablados pebeteros soltaban un humillo azulado, que iba formando cerca del techo una nube cada vez más densa y apestosa.

—Yo no veo ni torta —me cuchicheó Gaudencia al entrar.

—Ni yo —confesé avanzando despacio, para no darme un leñazo contra un mueble.

Tardamos un rato en habituarnos a la penumbra que invadía el aposento. (¡Vaya frase! Debo de haberla leído en alguna parte, pues a mí no se me ocurren estas virguerías estilísticas.)

Cuando me habitué a la penumbra esa, descubrí que la alcoba era enorme. Tampoco aquí cabían en el suelo todas las alfombras, y tuvieron que ponerlas también por las paredes.

Del techo colgaba una lámpara apagada llena de cristalitos, con bombillas suficientes para alumbrar una verbena. La poca luz reinante provenía de unos apliques en forma de cucurucho, que echaban unos pocos resplandores hacia el techo.

Al fondo estaba la cama, gran armatoste con altas columnas en las cuatro esquinas y una especie de palio con colgajos dorados por encima. En el espacio sobrante, que era mucho, había consolas, rinconeras, calzadoras... Todos esos muebles, en fin, que son muy bonitos pero que no sirven para nada.

Tanto a Gaudencia como a mí nos pareció que en la habitación no había nadie, y avanzamos en la penumbra observando todas las cosas lujosas que había a nuestro alrededor.

Yo tosí un poco, en parte para advertir al rey de nuestra presencia, y en parte también porque el humo de los malditos pebeteros me dio picor de garganta. Pero nada turbó el silencio que reinaba allí, hasta el momento en que mi amiga lanzó un grito:

—¡Ay! —la oí decir al tiempo que daba un traspié.

—¿Qué te pasa? —pregunté.

—He tropezado con algo que había en esta alfombra...

Ese «algo» con el que Gaudencia tropezó era el Rey de la Arabia Troglodita, que estaba sentado en el suelo, a la usanza de su país.

—*Tajúm abdalá!* —exclamó el tío, levantándose.

—Usted perdone —se excusó Gau, confusa—. Como aquí está tan oscuro, y usted tiene un color muy parecido a la oscuridad...

Ante nosotras se irguió Mohama III en toda su estatura, que no era mucha. A mí me sobrepasaba en muy pocos centímetros. Era tan moreno como el fulano de su séquito que conocimos en «Buterflí», pero más rugoso y consumidito.

La verdad es que no tenía el aspecto imponente que nosotras nos imaginábamos, y que cabía esperar de un rey con toda la barba. (Bueno: con toda no, porque Mohama sólo tenía media barbita, que le tapaba escasamente el mentón.)

Vestía lo que a mí me pareció una chilaba, pero que quizá fuera sólo un camisón de dormir. Porque la verdad es que yo nunca he sabido cómo son exactamente las chilabas. Parecía fresco y animoso, como si sus facultades no hubieran sufrido ninguna merma apreciable en el curso de la noche.

Después de decirnos otro camelo en su idioma, tan incomprensible para mí como el vascuence que me habló una noche cierto señorito de Zumárraga, se alejó unos pasos para mirarnos de arriba abajo y viceversa. Nos miró concienzudamente, como mira el torero al ganado que tiene que lidiar. Y debió de quedar satisfecho del examen, porque dijo bastante entusiasmado algo así:

—*Alá maó! Tal jabulas!*

Y una servidora, guiándose por la entonación, lo tradujo así:

—¡Dios mío! ¡Qué chavalas!

Creo que mi traducción anduvo cerca de ser exacta, pues el egregio fulano nos devoró literalmente con los ojos. Acto seguido, tomándonos a Gau por un brazo y a mí por otro, nos condujo hacia el fondo de la alcoba.

—¡Jolín con el monarca! —comentó mi amiga—. ¡El tío no se anda con rodeos, y nos lleva derechitas al catre!

Pero Gau se equivocó, porque a medio camino entre la alfombra donde tropezamos con él y el lecho con el palio por encima, Mohama se detuvo. Observé entonces, atravesando con la vista la penumbra y el humo de los pebeteros, que allí había una mesita muy maja, con cojines en el suelo para sentarse alrededor.

Sobre aquel mueble paticorto había una porción de pequeños cacharros de diversas formas y tamaños; fuentecillas con cachos de carne, botellejas con raras infusiones y platitos con indescifrables comistrajos.

Por señas, único idioma internacional que se entiende sin ser políglota, Su Morena Majestad nos indicó que nos sentáramos. Sonreía señalando las pijaditas comestibles que llenaban la mesa, al tiempo que ponía los dedos de una mano en forma de piña y se lo llevaba a la boca repitiendo:

—*Jam, jam, jam.*

—Quiere decir que comamos —traduje a Gau, que siempre tuvo menos facilidad que yo para entender los lenguajes extranjeros.

—Me alegro —celebró ella, apresurándose a sentarse en el cojín que le pilló más cerca—, pues ya hace seis horas que cené y tengo una gazuza de espanto. ¿Hay jamón?

—No, mujer —me escandalicé—. ¿No sabes que la religión de los árabes les prohíbe tocar el cerdo?

—No veo que haya necesidad de que lo toquen para comérselo —me discutió Gaudencia—: usando tenedor y cuchillo...

También yo, para no desairar al rey, que había sido tan fino invitándonos a aquel piscolabis, me senté y cogí una especie de pincho moruno que había en una cazuela.

—*Truji la janda li?* —me preguntó Su Majestad tomando asiento a mi lado.

—¡Atchís! —le contesté yo.

En realidad, yo no tenía intención de darle ninguna respuesta, porque malamente se puede contestar a una pregunta que no se ha comprendido. Pero ocurrió que el olor lanzado por los pebeteros era tan pesado, que caía y formaba una capa de mayor densidad cerca del suelo. Y al sentarme al nivel de aquella zona, el dichoso perfumito me cosquilleó las narices haciéndome estornudar.

Mira por dónde mi estornudo tuvo una interpretación inesperada: resultó que «atchís», que en España es sólo el sonido que hacemos al sentir cosquilla nasal y expeler el aire bruscamente, ¡es una palabra del dialecto que se habla en la Arabia Troglodita! Y una palabra importante sin duda, porque el rey se puso muy contento al oírla. Tan contento, que prescindió completamente de Gaudencia para dedicarse a darme conversación.

Debo aclarar que la conversación que él me daba yo no podía devolvérsela, por no entender ni una sola palabra de los párrafos que me soltaba.

Mientras mi amiga comía a dos carrillos las fritangas y salsejas de la mesa, yo pasé un rato malísimo escuchando los camelos de Mohama y esforzándome en contener las ganas de estornudar. Porque la aromática humareda me causaba picores en el mismísimo trigémino con creciente intensidad. Y por mucho que me ponía un dedo bien apretado en la zona del bigote, no lograba matar del todo el formidable estornudo que se estaba preparando. Los ojos empezaron a llorarme, hasta que por fin no pude más e interrumpí al rey con un nuevo:

—¡Atchís!

—*Jandu maca jalí!* —se alborozó él, interpretando mi interrupción como un asentimiento al rollo que me estaba contando.

Estas jubilosas reacciones se repitieron en mis estornudos tercero y cuarto. Pero al producirse el quinto, Mohama empezó a mosquearse.

—*Janda chufla?* —dijo poniéndose serio.

Basándome en eso de la «chufla», pensé que me preguntaba si estaba cachondeándome de él.

—¡Nada de eso, Majestad! —le tranquilicé—. Es que

155

yo tener alergia. ¿Usted comprender? ¡A...ler...gia!

Siempre creí, como todos los españoles, que para hacerse entender por los extranjeros basta con poner los verbos en infinitivo. Y si esta simplificación gramatical se refuerza diciendo las frases despacio y a gritos, muy bruto ha de ser el interlocutor para no entendernos. Por eso apliqué este método a Mohama, y le grité muchas veces, silabeando la palabra con lentitud:

—¡A...ler...gia! ¿Usted comprender?

Pero que si quieres arroz, Catalina: el regio fulano no captaba la onda, y crecía su enfado a medida que yo continuaba estornudando. Gaudencia dejó de comer y vino en mi ayuda, temerosa de que mis alérgicos «atchises» nos estropearan el negocio.

—Se me pasará —le dije yo— si abres una ventana para que se vaya toda esta peste.

—¿Estás loca? —se opuso ella—. ¿No sabes que esta clase de moros no aguanta el frío, porque en su tierra hace una canícula de órdago? Si abro se te pasará a ti, pero empezará a estornudar él. Y sería mucho peor, porque puede que nos acusen de haber querido cometer un regicidio y nos fusilen a las dos.

—*Banca chufla!*... *Banca chufla!* —repitió varias veces el egregio señalando la cama.

—¿Qué dice? —quiso saber Gau.

—Creo que está clarísimo —traduje yo—: que basta de chufla, y que nos acostemos.

—¿Las dos a la vez?

—Por lo visto.

—Bueno —aceptó mi amiga, levantándose la falda para soltarse las medias—. Yo no me asusto de nada, pero esto me parece una inmoralidad.

—A él no. ¿Cómo va a parecerle inmoral acostarse con dos mujeres, si está acostumbrado a hacerlo con cincuenta?

Y mientras yo despachaba otra serie de estornudos, Gau observó:

—No comprendo cómo un gobierno tan monógamo como el nuestro invita oficialmente a un polígamo tan descarado.

—Cosas de esa fulana llamada Política —expliqué yo—, que es más puerca que cualquiera de nosotras. Como este rey tiene petróleo no sólo para parar un tren, sino para hacer andar a millones de autos, todos los políticos del mundo le complacerán en todo.

Con la nariz enrojecida y los ojos llorosos de tanto estornudar, mi aspecto no era precisamente el de una musa inspiradora de lujuria. Pero como el bestia de Su Majestad tenía algo de gorila y no necesitaba inspiración para hacer sus machadas, me dijo por señas que me fuera desnudando mientras él se ocupaba de Gaudencia.

PEDAZO 24

ESTABA YA AMANECIENDO cuando mi amiga y yo, terminada nuestra actuación, volvimos a vestirnos.

—¡Qué bárbaro! —comentó Gau abrochándose la falda—. Ahora me explico que necesite un *stock* de cincuenta mujeres para su uso particular. Si este tío fuera monógamo, en menos de un mes sacaría todo el jugo a su mujer dejándola para el arrastre.

Mohama, que había vuelto a ponerse la chilaba y las babuchas, nos indicó para que saliéramos una puerta distinta a la que habíamos utilizado para entrar.

—¿Y quién nos paga? —le preguntó Gaudencia, que ya había renunciado al romántico sueño de casarse con él, pero que no renunciaba a cobrar los dividendos de nuestra sociedad.

—*Jandú?* —preguntó el rey, con cara de no entender.

—¡Pagar!... ¡Dinero!... ¡«Moni»!... —aclaró Gau, frotando los pulgares de sus manos contra los índices.

—¡Ah! —exclamó Mohama, comprendiendo y señalando la puerta por la que teníamos que salir—. ¡Alí!... ¡Alí!...

Aquello podía significar que nos pagarían al salir por «alí», o que Alí era el nombre del moro encargado de pagarnos.

Salimos, pues, por la puerta indicada, y resultó que nuestras suposiciones no anduvieron descaminadas: allí había un morazo esperándonos, que nos entregó un sobre a cada una. Y dentro de cada sobre había un billete verde.

—¡Fíjate qué roñoso! —me dijo Gaudencia al verlo—. ¡Tanta corona, tanta majestad y tanta pamplina, y este puerco oriental nos da lo mismo que cualquier fulano nacional!

Pero cuando sacamos los billetes de ambos sobres y los examinamos bien, mi amiga tuvo que rectificar, porque aquellos «verdes» no eran de mil pesetas, sino de cien dólares. Y como el dólar ya estaba entonces a sesenta pesetas al cambio negro, lo mismo que está ahora al oficial, nos pusimos muy contentas.

Desde aquella noche, siempre que paso cerca de alguna cuadra, el olor me hace recordar los pebeteros que perfumaban aquella alcoba real. Y el recuerdo no me desagrada por dos motivos: primero, porque no todas las mujeres pueden presumir de haberse acostado con un rey; segundo, porque gracias a la esplendidez de aquel rey, que pagaba sus placeres en divisas, me pasé unas Navidades imponentes.

Era la primera vez en mi vida que disponía de dinero en abundancia para hacer locuras, y las hice: me compré una botella de champán fabricado en Cataluña, que como tenía la etiqueta escrita en catalán, parecía francés.

Me compré un pollo entero, ya muerto y pelado, para que me lo asaran en la cocina de la residencia.

Me compré también seis pasteles variados, medio kilo de turrón y doscientos gramos de peladillas.

Por si fuera poco, invertí un buen puñado de pesetas en la zambomba más grande que encontré, y en un pandero de regulares dimensiones.

Con todos estos elementos, me organicé en mi habitación una Nochebuena fastuosa. Fastuosa y un poco solitaria, eso sí, porque casi todos los huéspedes habituales de la «Residencia Manchega» se fueron a pasar las fiestas con sus familias. Hasta Gau, que en el fondo era muy católica porque por sus venas corría sangre de sacristán, se largó al nuevo pueblo donde se había instalado la viuda de su papá. O sea su madre.

Pero yo soporto la soledad bastante bien, como todos los huérfanos en general y todos los perros vagabundos en particular. Y si los duelos con pan son menos, según dice el refrán, con pollo y champán son mucho menos todavía.

Por eso, cuando llegó la noche del 24 de diciembre de aquel año, yo estaba sola pero no estaba triste. Dispuse la comilona en mi cuarto, sobre una mesita cubierta por una toalla que hacía de mantel, y a las diez en punto me puse a tocar el pandero.

Yo entiendo poco de música. Los signos que se emplean para escribir las partituras son tan ilegibles para mí como la escritura china. Desconozco también el nombre de casi todos los variados instrumentos que se tocan en las orquestas. No sabría distinguir un clarinete de un oboe, ni una flauta de un fagot. Pero tengo buen oído, eso sí; y aunque no sepa el nombre, distingo por el sonido el sexo de los instrumentos que toco. Por eso, en cuanto empecé a tocar el pandero y oí cómo sonaba, me dije:

—Esto no es un pandero, sino una pandereta.

Porque el ruido que hacía al palmearle en la tripa redonda no era bronco y viril, sino atiplado y feminoide. Pero me aburrí pronto de mi concierto, pues la pandereta no se inventó para tocarla a palo seco, sino para acompañar villancicos y otras monsergas. Y como yo no sabía ningún villancico, debido a que mi repertorio en materia religiosa se reduce a un pedazo de «padrenuestro» y a dos jaculatorias cortitas, dejé la pandereta y abrí la botella de champán.

Me llené un vaso hasta el borde; y a falta de alguien con quien brindar, brindé con mi propia imagen reflejada en el espejo de encima del lavabo.

—¡A tu salud, fulanita! —exclamé alegremente, antes de echarme todo el vaso al coleto.

Decidida a pasármelo en grande hice un par de brindis más antes de hincarle el diente al pollo. Tuve que hincárselo con bastante fuerza, por cierto. Era la primera vez que en la cocina de la residencia guisaban un bicho tan exquisito, y sospecho que se aprovecharon para sacarle todo el jugo y dejármelo con un color y una dureza semejantes a la madera. Pero remojando cada mordisco con un buche de champán, conseguí que la carne se ablandara lo suficiente para poder tragarla. De este modo, acabé con el pollo al mismo tiempo que con la botella.

Lo malo fue que mientras los mordiscos sólidos se me bajaban al estómago, los buches líquidos se me subían a la cabeza. Y como a mí las cogorzas me dan dramáticas, porque tengo el vientre triste, se me fue nublando la alegría inicial con nubarrones de pesimismo.

«¿Quién ha dicho que los católicos son buenos?», pensé de pronto, en una explosión de rabia que me produjo el alcohol.

«¡Egoístas! ¡Eso es lo que son! En Nochebuena se

encierran en sus casas a divertirse con sus familias, y a los demás que los parta un rayo.

»¡Que se vayan al cuerno los solitarios, los huérfanos, y todos los desgraciados en general! —exclaman cerrando sus puertas a cal y canto—. Nosotros, que además de tacaños somos muy listos, hemos decidido que todas las fiestas navideñas sean estrictamente familiares. Y así no tenemos que invitar a nadie, ni que gastarnos ni un céntimo en socorrer al prójimo.

»La mayor demostración de egoísmo colectivo que yo he presenciado —continué pensando—, son los preparativos de estas fiestas. Cada cual, con ojos en los que chisporrotea la gula, recorre las tiendas eligiendo los bocados más exquisitos. Y esa misma gula hace que en todas las casas se almacenen víveres en cantidades excesivas e imposibles de ingerir sin padecer indigestiones.

»Llega a dar náuseas el ver cómo se recrea la gente en la preparación de estas comilonas. Matanzas masivas de corderos y cabritos, que recuerdan a los Santos Inocentes con perdón, ensangrientan los mataderos y los mercados. Y a todos los dependientes de las pollerías, les duelen los dedos a fuerza de retorcer pescuezos.

»—¡Nos vamos a hinchar! —se relamen salvajemente las familias atiborrando las despensas.

»El buen católico que está cebando un pavo para hincharse a puerta cerrada el día de Navidad, mira con desprecio al que sólo podrá comer un muslito de pollo.

»En los días navideños, se acentúa más aún la falta de solidaridad humana que impera en el mundo durante todo el año. Nadie piensa en los demás. Con el pretexto de que las fiestas son familiares, los excesos se cometen en casa. Y al prójimo, que le parta un rayo.

»Escudándose en unas fechas santas, las buenas personas celebran en privado orgías paganas: se hinchan de comida y vinazo, entonando canciones tan poco edificantes como esa que dice:

> Esta noche es Nochebuena
> y mañana Navidad.
> ¡Saca la bota, María,
> que me voy a emborrachar!

»Y el que justifique su borrachera diciendo que su euforia se debe a la alegría que le produce el nacimiento

161

de Jesusito, miente. Porque si fuera cristiano de verdad, no celebraría así la fecha más representativa de su religión. Si fuera un buen cristiano, tomaría ejemplo de Cristo. Y Cristo, que yo sepa, nunca predicó que cada cual debía encerrarse egoístamente con su parentela, sin pensar para nada en los demás. Vamos, creo yo.

»Aunque mi formación religiosa es bastante deficiente, me parece haber oído decir que Cristo hacía bastante hincapié en eso de repartir lo que tenemos con los que no tienen nada. Y no me parece bien, por lo tanto, que los partidarios de un Señor celebren su natalicio haciendo justamente lo contrario de lo que a Él le gustaba que se hiciera.

»A mí me parecería mucho más hermoso que la Nochebuena se celebrase sin despilfarros gastronómicos ni excesos alcohólicos. Esa Noche sería mucho más Buena si la gente, en lugar de cerrar sus puertas, las abriese para compartir cristianamente su alegría con el prójimo; con ese prójimo solitario como yo, cuya soledad se acentúa más que nunca durante estas fiestas.

»Pido perdón de antemano, porque puede que sea un sacrilegio; pero tal como se celebran ahora las Navidades, me alegran más los Carnavales. Y encuentro más caritativo el Carnaval, porque todo el mundo se esfuerza en alegrar a los demás y nadie se siente solo.»

Esto fue, poco más o menos, lo que me hizo pensar el champán mientras celebraba sola aquella Nochebuena. Y tan sola llegué a encontrarme en mi silencioso cuarto que, a falta de aparato de radio, abrí el grifo del lavabo para que la música del agua me hiciera compañía.

PEDAZO 25

PERO COMO LA MELODÍA del chorro que sale de un grifo es monótona, me aburrí al poco rato y lo cerré.

Sonó entonces el timbre del teléfono, y me gustó que aquella campanilla estridente rompiera el silencio que reinaba a mi alrededor. Lo dejé sonar un rato, para que la habitación se llenara hasta los rincones de aquel alegre repiqueteo, y luego lo descolgué. Era naturalmente el conserje, puesto que los teléfonos de las habitaciones baratas sólo comunicaban con la conserjería.

—¿Quién es? —le dije al descolgar, aunque sabía de sobra que era Gabino.

—El conserje, señorita —respondió el prostático, correcto.

—Le agradezco su llamada, Gabino. Porque supongo que me llamará para felicitarme las pascuas, ¿verdad?

—Para eso —confirmó el simpático meón— y para algo más. Pero es largo de explicar por teléfono. ¿Puede usted bajar un momento para hablar conmigo?

—Es que como no pensaba salir, estoy en bata.

—No importa —me animó—. Estoy solo aquí abajo y nadie la verá. Le ruego que baje. Puede ser interesante para usted.

Como los efectos del champán ya se me estaban pasando y la soledad de mi cuarto me aburría, prometí bajar en seguida. Y bajé con cierta curiosidad, tratando de adivinar qué diablos querría decirme el conserje a esas horas de la noche. Porque faltaba muy poco para que dieran las doce.

Como la bata que yo tenía puesta era muy mona (de tela acolchada, con aberturas a ambos lados que permitían enseñar las piernas hasta un poco más arriba de las rodillas), no me hubiera importado cruzarme con algún huésped en la escalera o en el vestíbulo. Pero nadie me vio, como Gabino me había pronosticado por teléfono.

Aparte del propio Gabino, que estaba en su puesto detrás del mostrador, no andaba por ninguna parte ni un solo bicho viviente.

—Aquí me tiene —dije sin molestarme en exhibir las aberturas de mi bata ante el conserje, pues bastante jaleo tenía el pobre con su dichosa próstata—. ¿Qué es eso tan interesante que quería explicarme?

—Verá usted —empezó él—: hace un rato, llegó un nuevo huésped. Venía muy nervioso y me dijo que necesitaba una habitación con urgencia. Añadió que pagaría lo que fuera, con tal que se la diese pronto. En vista de eso aproveché para darle la que llamamos «la suit real», y que por eso mismo no se había ocupado jamás.

—¿Por qué? —quise que me aclarara.

—Pues porque cuando algún rey pasa por Madrid, no se le ocurre venir a hospedarse en la «Residencia Manchega». Ya sabe usted que los reyes son muy señoritos; y cuando no vienen invitados a un palacio, prefieren los hoteles con nombre extranjero. Por esa razón nuestra «suit» ha estado siempre vacía, aunque le aseguro que es verdaderamente regia y ni el monarca más exigente podría ponerle reparos: con decirle que hasta tiene teléfono para hablar con la calle, y un retrete para uso exclusivo del huésped...

—Concretando —interrumpí para cortar la divagación—: que el señor nervioso se quedó en esa habitación tan buena. Explíqueme ahora por qué me ha llamado y qué pinto yo en todo esto.

—Verá usted —repitió Gabino, volviendo a coger el hilo de su historia—. Cuando el señor nervioso se inscribió en el registro de entrada, cogí su maleta y le acompañé a la «suit real». Debe de ser un hombre acostumbrado al lujo, porque al entrar allí no se quedó maravillado al observar la riqueza del mobiliario. Sin reparar en nada, se fue derecho al teléfono para llamar a alguien. Esa llamada debía de tener suma importancia para él, pues me ordenó que le dejara solo. Y como a mí no me gusta fisgar en las vidas ajenas, me retiré sin pararme a escuchar detrás de la puerta.

—Muy interesante —admití—, pero sigo sin comprender por qué me hizo bajar de mi cuarto.

—Espere —me rogó el conserje antes de continuar—.

Unos minutos después, el ocupante de la «suit» me llamó por el teléfono interior para pedirme que le mandara una camarera. Le contesté que sentía mucho no poder complacerle, pues habíamos dado permiso a todas las camareras de la residencia para que pasaran la Nochebuena con sus familias.

»—Si yo puedo servirle en algo... —me ofrecí.

»—¡Usted no me sirve para nada! —rechazó furioso—. ¡Ni usted, ni tampoco un camarero! Yo necesito una mujer. De manera que búsquela y mándemela cuanto antes.

»—Pero, señor, —objeté—, a estas horas...

»—No se preocupe por eso. Yo abonaré las horas extraordinarias.

»Y me colgó. Me puse a pensar en cómo podría complacer a ese mirlo blanco, que no da importancia al dinero y promete pagar bien a quien le sirva. Y me acordé de usted, señorita Mapi.

—¿Para qué? —dije yo.

—Como no dispongo de ninguna camarera, y ese huésped me pide que le mande una mujer...

—¿Y qué pretende usted? ¿Que me presente yo vestida de camarera?

—No es necesario que se vista de ningún modo —simplificó Gabino mirándome de arriba abajo y deteniéndose en las aberturas de la bata—. Así está usted muy mona, y tendrá menos ropa que quitarse.

—¿Qué quiere usted decir? —pregunté poniéndome seria.

—Que yo supongo que al señor no le importará cómo está usted vestida, sino todo lo contrario.

—¡Oiga, oiga! —me erguí muy digna—. ¿Por quién me ha tomado?

—La señorita me permitirá que le haga una aclaración —dijo el conserje respetuosamente—. Aunque ambos adjetivos son esdrújulos, una cosa es ser prostático y otra ser estúpido. Una conserjería, además, es el mejor observatorio para conocer los medios de vida de todos los huéspedes. Y sin ánimo de criticar, pues cada cual es libre de ganarse el pan como mejor pueda, le diré que conozco cuál es su fuente de ingresos y la de su amiga la señorita Gaudencia.

Contuve el aliento todo lo que pude, pues desde que perdí la vergüenza tengo que recurrir a ese truco para parecer avergonzada. Así, cuando a fuerza de no respirar estoy a punto de ahogarme, la sangre se me agolpa en la cabeza y me pongo coloradísima. Y la gente cree que la causa de que me haya puesto como un tomate es la vergüenza, y no la congestión. Con lo cual doy el pego a los panolis de que soy una chica decente y pudibunda.

Pero con Gabino pinché en hueso, porque el gachó se las sabía todas. Hay algunos conserjes que tienen algo de alcahuetes, y él pertenecía a esa variedad.

Opté en vista de eso por dejarme de fingir remilgos, procediendo a poner los puntos sobre las «íes»:

—Supongamos que acudo a la llamada del fulano de marras. ¿Quién me garantiza que sacaré algo en limpio?

—La lógica —razonó el prostático—. Si un hombre con dinero pide que le manden una mujer a su cuarto, lo natural es que piense pagarle sus servicios y no que trate de conquistarla para conseguirla gratis. En una conquista se tarda mucho tiempo, y el huésped, según me dijo, tiene prisa. Además, ¿qué pierde usted por ir a probar suerte? Si ve que su visita va por buen camino, se queda a terminar el negocio. Y si no, se marcha a dormir a su cuarto.

—Pero ¿qué gana usted con todo esto? —quise saber antes de decidirme.

—Una buena propina por partida doble: la que me dará el huésped por haberle proporcionado lo que me pidió, y la que me dará usted cuando haya cobrado lo que usted le pida.

—Está bien —accedí—. ¿Dónde está la «suit real»?

—Al fondo del pasillo —me indicó el conserje—, puerta número uno.

Mientras me dirigía hacia allí, llegaron de la calle las voces de unos gamberros que cantaban:

> *«Esta noche es Nochebuena*
> *y mañana es Navidad.*
> *¡Saca la bota, María,*
> *que me voy a emborrachar!...»*

PEDAZO 26

—¡ADELANTE! —ME GRITÓ una voz de hombre cuando llamé a la puerta número uno.

Entré en la famosa «suit», que a mí no me pareció tan regia como decía Gabino. Era mucho más grande que mi habitación, eso sí, y el suelo estaba cubierto por una alfombra con bastantes colorines y dibujos. Pero en comparación con el dormitorio del rey Mohama que yo había visto, aquello sólo era una pocilga un poco arregladita para cerdos distinguidos.

El huésped debía de ser un tío bastante guapo en estado de reposo, pero cuando le vi estaba tan agitado que me pareció hasta feo. Los nervios le habían desencajado las facciones hasta tal punto, que ninguna de ellas estaba encajada en su sitio.

No puedo decir que al entrar me lo encontré paseando por la habitación, porque nadie pasea tan de prisa ni dando unas zancadas tan grandes. Debía de llevar mucho rato dándose esos veloces garbeos, pues cuando se detuvo frente a mí jadeaba ligeramente.

—Buenas noches —le saludé, modosita.

El nervioso emitió como respuesta una especie de gruñido. Me fijé en que el tipo estaba en mangas de camisa con el cuello abierto, pero él no pareció fijarse en que yo iba con una bata muy mona abierta por los costados.

—¿En qué puedo servirle? —pregunté, respetuosa.

—Quiero que me haga un favor —dijo yendo a la puerta, para comprobar si yo la había cerrado bien cuando entré.

—Usted dirá —añadí en un tono neutro y nada insinuante, hasta ver por dónde salía.

Y con gran sorpresa por mi parte, salió por donde menos me lo esperaba:

—Tiene que darme un recado —dijo.

—¡Vaya! —exclamé sin disimular mi decepción—. Para eso, llame a un botones. Yo no salgo a hacer recados.

—No tendrá que salir —me aclaró—. El recado lo dará por teléfono, desde esta habitación.

—¿Y por qué no lo da usted mismo? —me extrañé.

—Lo he intentado, pero cuelgan al oír mi voz. Si oyen una voz de mujer, no colgarán. ¿Comprende?

—Sí. Pero si sólo me ha hecho venir para eso, me parece una tontería.

—Para mí no lo es. Venga, por favor —dijo llevándome a la mesa donde estaba el teléfono directo—. Para mí es cuestión de vida o muerte.

—Bueno —me encogí de hombros—. Puesto que ya estoy aquí...

—Yo marcaré el número —dijo, dándome el auricular, que había descolgado.

—¿Y qué tengo que decir? —pregunté.

—Depende: si el que contesta a la llamada es un hombre, diga que es usted amiga de Susana y que quiere hablar con ella. ¿Comprendido?

—No es tan difícil.

—Si contesta una mujer —continuó él—, puede darle el recado directamente porque ella es la interesada.

—¿Y cuál es el recado que debo dar? —pregunté mientras él giraba el disco del teléfono marcando el número.

—Debe decir a Susana que si sigue negándose a hablar con Miguel, se matará.

—¡Caramba! —me asusté—. ¿Quién se matará?

—¡Miguel!

—¡Jesús!

—Jesús, no —me corrigió—. Miguel.

—Era una exclamación —aclaré—. ¿Y quién es Miguel?

—Yo.

—¡Jesús!

—¡Y dale! —se impacientó.

—Perdone. Es que el recadito se las trae.

—¿Lo ha entendido bien?

—Creo que sí —dije, mientras oía en el auricular la señal de llamada.

—Repítamelo.

—Que si Susana no quiere hablar con Miguel, usted

se matará.

—¡No es eso!

—Entonces —repetí rectificando—, que si Susana no quiere hablar con usted, Miguel se matará.

—¡Tampoco! —se desesperó—. Dicho así parece que si ella no habla con uno, el que se matará será otro. Y debe quedar claro que se trata de un solo sujeto.

—¿Qué sujeto? —pregunté, empezando a hacerme un lío.

—¡Yo, demonio! —me gritó—. ¡Yo, que me llamo Miguel y me voy a matar si Susana no habla conmigo! ¿Está claro?

—Sí, no se preocupe —le tranquilicé—. Se lo diré tan bien dicho, que no habrá lugar a dudas. Pero ¿está seguro de haber marcado bien el número?

—Segurísimo. ¿Por qué?

—Porque da la señal de llamada, pero no lo coge nadie.

—¡Zorra!

—¡Oiga, oiga! —dije indignada—. ¿A qué viene eso ahora? Encima de que me presto a hacerle este favor...

—No me refería a usted, sino a Susana. No quiere contestar porque sospecha que soy yo. Pensará que le estoy amargando la Nochebuena, sin tener en cuenta que ella a mí me ha amargado la vida. Pero que no se figure que va a librarse de mí tan fácilmente. ¡Me va a oír! ¡Vaya si me oirá!

—Pues muy fuerte tendrá usted que gritar, para que le oiga por el teléfono sin descolgarlo —dije con esa fina ironía que a veces me gasto.

—¿No ha contestado aún?

—No.

—Entonces, cuelgue.

Obedecí, mientras él reanudaba sus idas y venidas como si la «suit» fuera una jaula.

—¿Puedo marcharme? —pregunté, pensando que al colgar mi misión había terminado.

—No. Llamaremos otra vez. Y todas las que hagan falta. Hasta que se cansen y se pongan.

—¿Y cree usted que el cansancio les hará ponerse? —desconfié yo de la eficacia del sistema—. A lo mejor se limitan a dejar el teléfono descolgado.

—No pueden dejarlo descolgado toda la noche —me

rebatió—, porque él es médico. Y él necesita que el teléfono esté en condiciones de recibir las llamadas urgentes de los enfermos.

—¿Él? —repetí yo, extrañada—. ¿Quién es él?

—El marido de Susana.

—¡Joroba! —se me escapó—. Pero ¿ella es casada?

—Ahora, sí —dijo el huésped con voz rabiosa, desmoronándose en una butaca—. No lo era hace menos de un año, cuando me fui a Caracas. Entonces era mi novia, y se iba a casar conmigo cuando yo me abriese camino allá. Pero la echaba tanto de menos, que hice una escapada para pasar estas fiestas con ella. Llegué sin avisarla, para darle una sorpresa, y la sorpresa me la dio ella a mí...

La rabia con que empezó a contarme esto, se le fue disolviendo en una agüilla que se le había ido formando en los ojos. Yo no sabía qué decir, porque era la primera vez que un fulano se me echaba a llorar como un Magdaleno. Cuando a un bebé le da una llorera, se le consuela diciéndole:

—¡Ajito al nene!

Pero ¿qué puñetas se le dice a un tío así de grande? Pensé que quizá podría emplearse la misma frase, sólo que en aumentativo. Así:

—¡Ajote al macho!

Pero en la duda me abstuve, quedándome callada. El huésped se serenó una miaja, y al serenarse se dio cuenta de que yo no llevaba puesto el uniforme de camarera.

—Siento que por mi culpa la hayan levantado de la cama —se excusó.

—No tiene importancia —dije—. Al fin y al cabo hoy es Nochebuena, y todo el mundo se acuesta tarde.

—El conserje me dijo que habían dado permiso a las camareras para pasar la noche con sus familias. ¿Cómo no se ha ido usted también?

—Es que yo no tengo familia en Madrid.

—¿Dónde la tiene?

—Por ahí —dije vagamente—. Cada uno anda por su lado.

—Hábleme de su familia —me rogó él.

—¿Para qué?

—De algo hay que hablar para hacer tiempo hasta que llamemos por teléfono, ¿no le parece?

—Sí, claro —reconocí.

—¿Por qué no se sienta? —me sugirió—. Ya sé que el reglamento del hotel prohíbe a las camareras sentarse a charlar con los huéspedes; pero supongo que también prohibirán a los huéspedes suicidarse en las habitaciones. Y si no respeto una prohibición, ¿por qué voy a respetar la otra?

—¿Qué quiere usted decir? —me alarmé.

—Nada, no se preocupe. Siéntese y empiece a contarme.

—Será mejor que volvamos a llamar —dije yendo al teléfono—. ¿Quiere darme el número?

—Yo se lo marcaré —replicó él, levantándose—. Pero deberíamos esperar un poco, hasta que olviden las llamadas anteriores.

No obstante, marcó las cifras sin demasiada convicción mientras yo cogía el auricular.

—Esta vez —dije después de escuchar un rato—, está comunicando.

—¡Maldita sea!...

—Quizás, aburridos de oír tanto timbrazo, se hayan decidido a descolgar —sugerí.

—Imposible —negó él, terco—. Un médico no puede hacer eso. Y si lo hace no le servirá de nada, porque iré a hablar con ella personalmente. Si creen que se van a librar de mí con tanta facilidad...

Empecé a sentir compasión por aquel hombre, ya que siempre me han dado pena los cornudos. Y aunque tuve intenciones de irme al ver que de allí no sacaría nada en limpio, cambié de parecer y decidí quedarme para evitar que hiciera un disparate.

Estos ramalazos bondadosos de consolar gratuitamente a un prójimo, no suelen darme con frecuencia. Pero como era Nochebuena y aún me quedaban algunos efectos del champán que había bebido, ambos factores ablandaron mi egoísmo habitual y me predispusieron a la bondad.

—Vamos, vamos —me esforcé en ser persuasiva—. Cálmese y procure razonar. Puesto que esa pájara llamada Susana le falló y se ha casado con otro, ¿para qué insiste tanto en hablar con ella?

—Quiero que vea el daño que me ha hecho —respondió él a borbotones—. Quiero que sufra tanto como yo. Quiero destrozar su vida como ella ha destrozado la mía. Quiero que se sienta responsable de la tragedia que ocurrirá esta noche, para que la conciencia le remuerda como un perro rabioso.

—¡Qué bárbaro! —exclamé echándolo a broma—. ¡Pues no quiere usted pocas cosas, hijo! Yo en su lugar, antes de ir a ver a esa lagarta, pediría una botella de champán.

—¿Para qué? ¿Para matarla de un botellazo?

—¡No, hombre! Para bebérnosla aquí tranquilamente, y olvidar esa tragedia que le da vueltas en la cabeza.

—No diga disparates —rechazó el huésped—. ¿Cree que puedo tener ganas de beber en estas circunstancias?

—En circunstancias parecidas a éstas, precisamente, es cuando se bebe más a gusto.

—Yo no tengo ánimos.

—Empezará a tenerlos a la segunda copa —insistí.

—Le agradezco su buena intención, pero es inútil. ¿Se figura que si yo viera una sola posibilidad de sobrevivir a mi dolor, por remota que fuese, iba a desaprovecharla? Me agarraría a ella como a un clavo ardiendo. Pero no la hay, créame. Mi desgracia no tiene remedio. Susana era toda mi vida, y la he perdido. Prácticamente, ya estoy muerto. Sólo me falta un pequeño trámite para que puedan enterrarme.

Y al fulano le fue entrando una serenidad que me impresionó. Dejó de moverse como un rabo de lagartija. Sus facciones, desencajadas, se fueron encajando cada una en su sitio. Y empezó a parecerme guapo. Me recordaba esos cuadros que hay por las paredes de las iglesias, en los que los mártires sonríen tristemente mientras aguantan como jabatos las cabronadas que les hacen los ateos.

El dolor de aquel hombre llegó a emocionarme tanto, que me atreví a darle un cachetito en una mejilla.

—Deje de pensar cosas trágicas, Miguel —le dije, pensando que el llamarle por su nombre crearía entre nosotros cierta intimidad y haría más eficaz mi labor consoladora—. Si su novia le salió rana, otra le hará feliz. En este mundo hay más mujeres que longanizas.

Admito que mis palabras de consuelo no me salieron muy poéticas, pero eran sinceras y él me las agradeció.

Insistió, sin embargo, en que nada podía hacerse para remediar su situación, puesto que su alma estaba ya más muerta que una momia.

—Pero aún le queda el cuerpo vivito y coleando —volví a la carga—. Y con un cuerpo vivito y coleando, pueden hacerse muchas cosas agradables.

Movió la cabeza en sentido negativo, lenta y tristemente, como un cabestro al que le pesara la cornamenta. Y se puso a contarme la historia de su vida, vinculada desde hacía muchos años a aquella mujer que le había fallado:

Susana por aquí... Susana por allá...

El corazón de Miguel sólo apuntaba a Susana, del mismo modo que una brújula sólo mira al Norte. Su relato fue como el trayecto de un «vía crucis», a lo largo del cual el infeliz sufrió muchas caídas en el barro del fracaso. Pero siempre volvía a levantarse, para seguir luchando y llegar a ser digno de Susana. La última etapa de aquella lucha había sido su viaje a Venezuela, que estaba a punto de terminar de un modo tan desastroso.

—Y la muy estúpida —se desesperó— me abandona ahora precisamente. ¡Ahora que al fin he triunfado y podría darle todo lo que ella quisiera! Porque ahora soy rico. Compré cerca de La Guaira unas tierras de secano. Y al hacer un pozo para regarlas, me salió sin querer un pozo petrolífero.

—¡Jopé! —se me escapó, mientras abría unos ojos como platos—. ¿Y el haber encontrado petróleo no le compensa de haber perdido a Susana?

—No —contestó rotundamente.

—¿Pues sabe lo que le digo? —le solté indignada—. Que es usted un giliporras.

El raro vocablo, disparado a quemarropa, le pilló desprevenido y le hizo parpadear.

—¿Cómo?... —balbució, perplejo.

—¡Giliporras, sí, señor! —remaché hecha una furia—. ¡Y tiene usted menos agallas que un boquerón! Porque pensar en suicidarse por una mujer determinada, teniendo dinero para comprarlas por docenas, no es sólo una cobardía sino una cretinez. Y a un cretino de ese calibre, me considero incapaz de consolarle. Buenas noches. Que usted se mate bien.

173

Y antes de que él tuviera tiempo de reaccionar, ya estaba yo en la puerta del pasillo haciendo mutis.

—¡Oiga, oiga! —me llamó, mientras yo salía y cerraba de un portazo.

Pero yo no le hice caso.

PEDAZO 27

—¿CÓMO HAN IDO LAS COSAS? —me preguntó Gabino, cuando pasé por la conserjería a recoger la llave de mi cuarto.

—Fatal —gruñí, furiosa—. Ese tipo es un vaina que no tiene arreglo. Según parece está podrido de dinero, pero no hay forma de sacarle nada en limpio. De manera que me voy a dormir, porque no estoy dispuesta a pasarme toda la noche gastando saliva en balde.

—¿Para qué me pediría entonces que le mandara una mujer? —se extrañó el conserje.

—No necesitaba una mujer —le aclaré—, sino una telefonista. Nos hemos corrido una juerga telefónica imponente.

—¿Es que no le gustan las mujeres?

—Le gusta con locura una sola, que viene a ser igual —resumí—. Porque fuera de ésa, las demás no le interesan.

—Debe de estar chalado, ¿no? —dedujo Gabino.

—Como una chota —le di la razón—. Sólo así se explica que, al saber que ella se ha casado con otro, haya decidido suicidarse.

—¡Diablo! ¿Ha dicho que va a suicidarse?

—Sí.

—¿Cuándo?

—Ahora mismo —respondí.

Y coincidiendo con el fin de mi respuesta, oímos un estampido muy fuerte que sonó en la «suit real».

—¡Zambomba! —exclamé, contagiada por el ambiente navideño.

—Eso no ha sido un zambombazo —rectificó el conserje—, sino un disparo.

Primero, me quedé de una pieza.

Luego, poco a poco, me fui desmoronando como si esa pieza única se hubiera ido rompiendo en muchas piececillas.

Tuve intención de correr a encerrarme en mi cuarto, pero mis piernas se negaron a obedecer mis intenciones. Sólo después de no pocos esfuerzos conseguí llegar hasta una silla próxima al mostrador de la conserjería, en la que, más que sentarme, me caí de culo.

En aquella época, no estaba yo aún lo bastante fogueada por la vida como para poder enfrentarme con la muerte. La única vez que esa repulsiva esquelética había manejado su guadaña cerca de mí, fue en Torremolinos. Cuando se llevó al pintor Marcelo, con el cual estuve liada una temporadita. Y en esta segunda «siega» de la flaquísima señora, reaccioné igual que entonces: me quedé alelada y llorosa, sin darme demasiada cuenta de lo que ocurría a mi alrededor.

Gabino, cumpliendo con su deber de conserje, tuvo que entrar en la «suit» para ver lo que le había pasado al huésped. Y lo que vio fue tan poco agradable, que al salir estaba más blanco que una pared recién encalada.

Por lo que contó a saltos y entre balbuceos, supe que el pobre fulano llamado Miguel se había saltado la tapa de los sesos. Esta frase, que suele decirse en sentido figurado al hablar de suicidios en general, podía aplicarse en este caso literalmente. Porque el pistoletazo le abrió un enorme boquete en la tapadera craneana, por el que salieron y se desparramaron sobre la alfombra esas masas que llaman encefálicas.

El estrépito del tiro sacó de sus habitaciones a los pocos huéspedes que no habían ido a pasar la Nochebuena con sus familias, y el conserje tuvo que rogar a todos que se volvieran a la cama.

—No ha sido nada —mentía, aunque su palidez le desmentía—. Esa explosión no ha sonado en el hotel, sino en la calle. Habrá sido la rueda de algún automóvil que reventó...

—Los reventones no hacen tanto ruido —rechazó un incrédulo.

—Entonces —mintió de nuevo Gabino—, ha tenido que ser alguna bomba del partido comunista.

Poco después, cuando todos los que se habían levantado volvieron a acostarse, llegó la policía. Llegó de bastante mal humor, por cierto, pues la policía también tiene su corazoncito y estaría celebrando la Nochebuena como cada quisque.

—Supongo que nadie habrá tocado el cadáver —dijo un inspector gordito que debía de ser el jefe, porque hablaba más que ninguno.

—Cuando vea usted el cadáver —contestó el conserje—, comprenderá que a nadie le haya apetecido andar tocando esa carroña rodeada de piltrafas.

La respuesta de Gabino me pareció muy sensata, y encontré absurda en cambio la pregunta del inspector. No era la primera vez que escuchaba ese disparate en labios de un policía, pues también en las películas policíacas es lo primero que tratan de averiguar los detectives: si alguien tocó el cadáver. ¡Pues claro que no! ¿Creen de veras que la gente es tan puerca como para ponerse a tocar esas cosas? ¡Ni que los muertos fueran pianos!

El conserje condujo al inspector a la «suit real», y allí dentro estuvieron mucho rato. Dos agentes de uniforme se quedaron en el vestíbulo, de espaldas al rincón donde me había yo sentado. Sus uniformes olían a sudor y al cuero de sus correajes. Uno de ellos estaba furioso por haberle tocado estar de guardia en una noche como aquélla, y sólo decía «¡coño!» cuando abría la boca. El otro se hurgaba en la nariz tratando de atrapar un moco profundo.

Me alegré de no tener deudas con la justicia, porque debía de ser espantoso que la detuvieran a una unos guardias tan desagradables. Supongo que me parecieron más horribles aún porque yo había visto en aquellos días una película de la Policía Montada del Canadá, a cuyos agentes daba gloria verlos: todos tan guapos, tan finos, tan planchaditos, sentados en unos caballos relucientes como los chorros del oro... Con esos tipazos tiene que dar mucho gusto que la detengan a una y la metan en sus cárceles. Pero con éstos...

Por eso me alegré, como ya dije, de no haber faltado a ningún artículo del Código Penal. Y por eso me asusté cuando el inspector y el conserje, al salir de la habitación fatal, se encaminaron directamente hacia la silla que yo ocupaba.

—Esta señorita —dijo Gabino señalándome— fue la última que habló con el interfecto.

—¿Quién es esta señorita? —preguntó el policía, mirándome a mí pero dirigiéndose a Gabino.

—Vive desde hace algún tiempo en la residencia —contestó él.

—Venga conmigo —me ordenó el inspector. Y al ver que yo temblaba un poco, añadió—: No tenga miedo. Sígame.

PEDAZO 28

Seguí al gordito dominando mi tembleque, y me detuve al observar que me conducía al cuarto del muerto.

—¿Pretende usted que yo entre allí? —dije con aprensión.

—Sí; pero no se preocupe, porque no verá nada desagradable.

Entré tranquilizada por esta promesa y lo primero que vi fue un bulto muy grande tendido en el suelo y tapado con una sábana. No me hizo falta preguntar lo que era aquello, pues en el extremo del bulto que tenía la forma de una cabeza, la sábana se había impregnado de un líquido rojo que no era precisamente salsa de tomate.

—Siéntese donde quiera —me invitó el inspector, dando una zancada para pasar sobre el muerto como si fuera un montón de ropa sucia.

Me senté lo más lejos que pude de aquel bulto macabro, en una silla desde la cual no se veía la sábana ensangrentada.

—¿Conocía usted a este hombre? —dijo el gordito para empezar el interrogatorio.

—Sí —contesté.

—¿Cómo se llamaba?

—Miguel.

—¿Qué más?

—No lo sé. No me dijo su apellido.

—¿Dónde lo conoció?

—Aquí, en la residencia.

—¿Cuándo?

—Esta misma noche.

—Dígame la verdad —dijo el inspector, volviendo a pasar por encima del cadáver para acercarse a mí—. ¿No le conocía de antes? ¿No vino él aquí hoy para reunirse con usted?

—No, señor —respondí asustada, pensando que aquel tío quería liarme—. Era la primera vez que le veía.

—¿Y sin conocerle de nada vino a su habitación?

—Sí, señor.

—¿Por qué? —me disparó, mirándome con desconfianza.

—¿Cómo que por qué? —balbucí, desconcertada—. No le entiendo.

—Tampoco entiendo yo que usted viniera a la habitación de un desconocido. Y eso es lo que quiero que me explique.

—Pues vine —empecé a explicar— porque él llamó al conserje para pedirle que le mandara una camarera.

—Entonces, todo está aclarado —dijo el gordito con una sonrisa—. Usted acudió a la llamada, porque es una camarera del hotel. ¿No es eso?

—No, señor.

—¿Cómo? ¿No es usted camarera? ¿Por qué vino entonces? ¿No fue una camarera lo que el huésped pidió?

—Sí, señor —traté de no perder la calma, aunque la lluvia de preguntas me iba poniendo cada vez más nerviosa—. Pero como todas las camareras están pasando la Nochebuena con sus familiares, el conserje pensó que yo podría servir al huésped.

—¿Sí? —se asombró el inspector—. ¿Y por qué pensó eso?

—Porque él sabía que yo estaba aburrida en mi cuarto, sin nada que hacer. Y como sabe también que soy muy servicial...

—¿Servicial? ¿En qué sentido?

—En todos —dije vagamente.

—¡Vaya, vaya! —dijo el gordito mirándome de arriba abajo, y deteniendo su mirada al llegar abajo—. ¿Y qué clase de servicios le prestó al huésped? Bueno, ya me lo figuro...

—No puede figurárselo, porque sólo quería que yo llamara por teléfono.

—¿Sí? —enarcó las cejas, incrédulo—. ¿A quién quería telefonear?

—A Susana.

—¿Quién es Susana?

—No lo sé.

—Pues le aconsejo que procure saber más cosas —se puso serio—, porque su historia resulta confusa y poco convincente.

—¡Es la pura verdad! —protesté.

—Puede que lo sea —admitió el inspector empezando a dar paseos por la «suit», lo cual le obligaba a dar un saltito cada vez que pasaba por encima del cadáver—. Pero todo lo que me ha contado, resulta bastante increíble: el huésped que sólo la necesita para llamar por teléfono... Y de pronto, ¡zas!: el suicidio sin más ni más.

—Es difícil de creer —reconocí—, pero le juro que así fue.

—No basta que lo jure: hace falta que lo demuestre.

—Pero ¿cómo voy a poder demostrarlo —me desesperé—, si mi único testigo de lo que pasó en esta habitación, resulta que es la víctima?

—Puede haber un testigo más —apuntó el policía—: la persona a la que usted telefoneó por orden del huésped. ¿Cómo dijo que se llamaba?

—Susana.

—Susana, ¿qué?

—No lo sé. Él sólo se refería a Susana, a secas.

—Bien. Vamos a analizar ese aspecto de la cuestión: la llamada telefónica a esa mujer. ¿Por qué tenía que llamarla usted y no podía hacerlo él?

—Porque él, según me dijo, lo había intentado varias veces. Pero cuando ella oía su voz, le colgaba.

—Eso tiene lógica y no resulta increíble. Prosigamos: ¿qué tenía usted que decirle a Susana?

—Que no se negara a hablar con Miguel —expliqué—. Porque si seguía negándose, Miguel haría... lo que hizo: matarse.

—¿Y ella qué le dijo a usted?

—Nada, porque no descolgó el teléfono cuando llamé. Repetí la llamada un poco más tarde, pero tampoco contestó.

—¿Recuerda al menos el número?

—No, porque el huésped no llegó a decírmelo: me lo marcaba él mismo.

El inspector se detuvo en sus paseos, para decirme meneando la cabeza con preocupación:

—No tiene usted suerte, guapa: el único testigo que podía ayudarla, se ha esfumado. Si no habló con esa famosa Susana, ni sabe su teléfono para localizarla, no le va a ser fácil salir de este embrollo.

—Pero ¡si yo no hice nada! —protesté—. Le he contado toda la verdad.

—Una verdad que no sonará muy veraz a los oídos del tribunal.

—¿De qué tribunal? —pregunté asustada.

—Del que juzgue este caso. Donde hay muertos, hay jueces.

—¿Y qué culpa tengo yo de que este desgraciado se suicidara?

—Si yo la creyera a usted, ninguna.

—Pero —balbucí—, ¿es que no me cree?

—Hago todo lo posible, se lo aseguro —dijo el gordito, acercándose a darme unas alentadoras palmadas en la espalda—. Pero las apariencias... No digo que le acusen, pero es evidente que la complican.

—¿A mí? ¿Por qué?

—Vamos, no se haga la tonta. ¿Quién puede asegurarme que usted y el interfecto no tuvieron relaciones íntimas?

—Se lo aseguro yo —dije con firmeza.

—Sin embargo —continuó el policía dándome unas nuevas palmaditas amistosas—, usted no niega que estuvo mucho tiempo a solas con él en su habitación. Y tampoco puede negar, porque eso lo estoy viendo con mis propios ojos, que vino a verle casi desnuda.

No me di cuenta hasta entonces, con la preocupación del interrogatorio, de que la bata se me había ido abriendo algo más de lo debido.

—Casi desnuda es un poco exagerado —dije cerrándome apresuradamente la abertura—. Porque esta batita viste mucho.

—Pero no lleva usted nada debajo, ¿verdad?

—¿Cómo que no? —me indigné, levantándome de la silla bruscamente—. ¿Y este camisón?

Al decir esto me abrí la bata de par en par, para que el inspector viera que me estaba acusando en falso. Y le enseñé el camisoncito más mono que había visto en su vida. Era de *nylon*, porque ya entonces se hacían preciosidades con esa seda moderna que se fabrica sin gusanos, de un color de carne tan bien imitado que parecía la carne misma. El escote estaba rematado por un encaje finísimo, y tenía un lacito muy cuco en el centro del busto. Este mismo lazo se repetía en las hombreras, que eran muy estrechas para no dificultar el movimiento de los brazos. Por la parte de debajo el camisón también era muy práctico, pues sólo me llegaba hasta la mitad de los muslos para no dificultar el movimiento de las piernas. En la tienda donde lo compré me aseguraron que estaba hecho en Francia. Y debía de ser verdad; porque aquella tienda era tan seria y tan formal, que sólo vendía cosas auténticas pasadas de contrabando.

—¿Qué me dice de este camisón? —insistí.

—Precioso —balbució el inspector avergonzado sin duda de haberme calumniado al asegurar que yo no llevaba nada debajo.

—Pues le advierto que es francés —presumí, volviendo a cerrarme la bata—. Porque esta clase de *nylon* tan fino y transparente sólo se hace en Francia.

—Usted perdone —continuó el gordito más acalorado que antes—; pero no crea que eso es una prueba a su favor, sino en contra.

—¿Por qué?

—El tribunal pensará que ninguna mujer se pone un camisón, bonito y francés por añadidura, si no es para acostarse con un hombre.

—Pero yo me lo puse mucho antes de que él me llamara —rebatí.

—¿Quizá porque ya sabía que él la iba a llamar?

—¡No, no! —negué rabiosamente—. ¡Yo no sabía nada! Me lo había puesto para celebrar la Nochebuena.

—¿Con quién?

—Sola.

—¡Vamos, preciosa! —se arrimó el gordito para palmotearme de nuevo en la espalda—. De veras me gustaría ayudarla. Pero si empieza a disparatar...

—Le juro que es cierto. Organicé un banquete en mi cuarto, para mí sola. Compré un pollo y una botella de champán... Y como también había comprado el camisón, me lo puse para estrenarlo. Esta bata también es nueva.

—Veo que compró muchas cosas.

—Sí —dije ingenuamente, sin saber dónde quería ir a parar con aquella observación.

Pero lo supe en seguida, porque de allí arrancó un nuevo tentáculo del interrogatorio para sujetarme e impedirme escapar de aquel lío:

¿Cómo podía comprar tantas cosas?

¿Cuál era la procedencia del dinero que yo gastaba?

Y si me lo había dado un hombre, como acabé por confesar, ¿quién era ese hombre?

—Un rey —respondí.

—¿Se atreve a tomarme el pelo estando en una situación tan delicada? —se encolerizó.

—No es una tomadura de pelo —aseguré, a punto de echarme a llorar—. El dinero me lo dio el Rey Mohama.

—¡Y un jamón! ¡Esto es el colmo! ¡Encima de que estoy haciendo lo posible por ayudarla...!

—Le juro que me lo dio él.

—Sí, ¿verdad? ¿Dónde y cuándo?

—Hace unas noches, cuando estuve cenando con él en palacio...

—¡Basta! —cortó el gordito, rabioso—. Déjese de bromas, o me veré obligado a detenerla.

—¿Detenerme? ¿Por qué?

—Por negarse a explicarme de dónde sacó esa cantidad que ha despilfarrado. Porque ¿sabe usted lo que hemos encontrado en la maleta?

—¿En qué maleta?

—En la de la víctima. Estaba abierta, encima de la cama. Y encontramos en ella mil trescientos veinte dólares. ¿Comprende lo que quiero decir?

—No, señor —confesé.

—Pues quiero decir que la cantidad me parece un poco rara. Un hombre rico, como por lo visto era el muerto, no viajaba con mil trescientos veinte dólares.

—¿Por qué no?

—Lo lógico es que lleve mil, o mil quinientos, o dos mil... Una cifra en números redondos, ¿no le parece?

—¡Yo qué sé! —me encogí de hombros.

—Usted no lo sabe, pero yo lo adivino por deducción —presumió el policía—. Y puesto que llegó esta misma tarde de Caracas, según he comprobado por el billete de avión que tenía en el bolsillo de su americana, no tuvo tiempo de gastar nada. ¿Me sigue?

—Le sigo, pero no sé adónde quiere llegar.

—A esta conclusión —concretó—: si no gastó, ¿dónde está la diferencia?

—¿Qué diferencia?

—La que falta hasta la cifra en números redondos. La que falta desde los mil trescientos veinte dólares que encontramos, hasta los mil quinientos o dos mil que lógicamente debía llevar. ¿Dónde está esa cantidad?

—¡Yo qué sé! —repetí con nuevo encogimiento de hombros.

—¿No le pagó a usted nada por... los servicios que prestó?

—Ni un céntimo.

—¿Y quién me asegura a mí que usted misma no se cobró, metiendo mano en los billetes que había en la maleta?

Miré al gordito perpleja. Los ojos se me llenaron de lágrimas cuando dije:

—¡Dios mío!... ¿Insinúa que yo le robé?

—Son sólo deducciones lógicas que se derivan de la situación. Aunque deseo ayudarla, mi deber es seguir todas las pistas posibles para aclarar los hechos. Y tendré que registrar su habitación.

Aquello colmó la resistencia de mis nervios, y rompí a llorar. La indignación y el miedo se mezclaban en aquel llanto, que no me atrevo a calificar de convulso porque no sé lo que eso quiere decir. Pero convulso o no fue un llanto que me dolió mucho.

Era tan grande mi desesperación que, sin preocuparme de sujetar la bata para que no se me abriera, me llevé ambas manos a la cara para tapármela y desahogarme más a gusto. Y el inspector, conmovido sin duda al verme en ese estado, se aproximó para darme nuevas palmaditas de consuelo.

—Vamos, cálmese —me dijo suavizando la voz—. Insisto en que estoy deseando ayudarla, siempre que usted esté dispuesta a poner algo de su parte.

—Pero ¿qué es lo que tengo que poner? —pregunté gimoteando.

—Ábrame su pecho. No me oculte nada. Confíe en mí. Quiero ver toda la verdad sin velos ni subterfugios. Y ahora vamos a registrar su habitación. Veremos si en este registro queda demostrada su inocencia.

PEDAZO 29

¡ASTUTO GORDITO, caramba! Gracias a su hábil interrogatorio logró dejarme a merced suya, derrotada y sin defensas. Y cuando subió conmigo a mi cuarto para practicar el registro que él mismo había tramado, no le fue difícil obtener lo que sin duda se propuso desde que me vio. Porque si un hombre desesperado puede permanecer indiferente a los atractivos de una batita con aberturas y de un finísimo camisón francés, un policía equilibrado no tiene más remedio que sucumbir.

Debo reconocer su eficacia y rapidez en el desempeño de todas sus funciones. Porque el inspector permaneció en mi habitación veinte minutos justos, y en tan breve lapso tuvo tiempo de hacerlo todo. Incluso el registro.

Este *récord* de velocidad, que si en los Juegos Olímpicos se incluyera el deporte del revolcón daría lástima no haber homologado, merece pasar a la Historia en estas páginas. (Suponiendo que estas páginas pasen a la Historia, que creo que sí, pues no veo la razón de que no pase un relato auténtico escrito en prosa sincera, cuando han pasado tantos rollos clásicos escritos en verso.)

Lo primero que hizo el inspector, en cuanto entramos los dos en mi habitación, fue cerrar la puerta con llave.

—Así no nos molestará nadie —me dijo muy serio—, ni podrá usted escapar si encuentro alguna prueba de su culpabilidad.

—No encontrará nada —aseguré, adelantándome a abrir el armario para que lo registrase.

—Aquí hace calor, ¿no le parece? —observó.

Yo estaba demasiado ocupada en demostrar mi inocencia para preocuparme de nimiedades termométricas, y ni siquiera le contesté. Pero él se quitó la chaqueta y la puso en el respaldo de una silla.

—Siempre que tengo que hacer un registro —me dijo mientras se aflojaba la corbata y se abría el botón del cuello—, me pongo en mangas de camisa. Así se trabaja con soltura y se tiene más libertad de movimientos.

Empezó a registrar el armario. Pero como pese a mis últimas adquisiciones mi guardarropa no era muy denso, sólo tardó dos minutos en palpar uno a uno todos mis vestidos. Metió mano a los cajones de mi ropa interior, donde se entretuvo más de lo debido palpando cada prenda concienzudamente.

—Estas cazoletas —me explicó enseñándome un sostén que había sacado de un cajón— constituyen un buen escondite donde pueden ocultarse objetos de todas clases. El volumen de los objetos ocultables varía según la exuberancia de la propietaria de la prenda. Si es una matrona con buenas defensas en su parte delantera, cada cazoleta puede esconder hasta un botijo. Y si es una chica jovencita y bien formada como usted, en el escondrijo sólo cabe medio limón. Pero también un fajo de billetes.

—¡Yo no robé nada! ¡Yo no robé nada! —repetí, rompiendo a llorar de nuevo desconsoladamente.

Y llorando con intensidad creciente me dejé caer en la cama, pues está demostrado que se llora con más desahogo tumbada que de pie.

—Vamos, pequeña —me tuteó al mismo tiempo con una voz tan suave como una gamuza—. Tranquilízate. ¿No ves lo que me estoy esforzando para sacarte de este embrollo?

. . . .

Terminado el concienzudo registro, el inspector quedó plenamente convencido de que yo no escondía dólares en ningún rincón de mi cuarto ni de mi cuerpo.

Poco antes de marcharse, mientras se apretaba el nudo de la corbata y se ponía la chaqueta, recobró la tranquilidad que había perdido mientras estuvo en acto de servicio.

—Me ha dado usted —dijo con aplomo, olvidando el tuteo que me dirigió durante la fase culminante de su investigación— la prueba de su inocencia que yo quería. A partir de este momento, queda libre de toda sospecha y nadie volverá a molestarla. Gracias a usted he visto claramente que aquí el único culpable es el suicida, ese solemne imbécil que abandona voluntariamente un mundo en el que se pueden hacer tantas cosas buenas. Mil perdones por todas las molestias, y mil gracias por haber colaborado con la policía.

El inspector se marchó, quitándome el peso de que pudiera verme envuelta en el suicidio de aquel huésped.

Aquélla no fue para mí una Nochebuena, sino mi Nochepeor. Por eso la he contado con bastantes pormenores. Quizá con demasiados. Pero creo que una nochecita tan movida como aquélla merece ser contada sin dejarse nada en el tintero. Aunque el tintero esté lleno, no sólo de tinta, sino de basura.

PEDAZO 30

Yo COMPARO LA VIDA de todas las personas, por muy agitada y apasionante que haya sido, a una alcachofa. Explicaré la comparación, aunque a mí me parece clarísima.

Las hojas de la alcachofa, como las hojas del calendario, tienen en general muy poca substancia. Lo único sabroso e importante, tanto de la alcachofa como de la vida, es el cogollo que queda después de quitar todas las hojas insípidas. Y el cogollo de una existencia (como diría la redicha Nati) está formado por un puñadito de fechas cruciales.

Fuera de este puñado, el resto de los días es paja de relleno que no cuenta. Entre dos hechos fundamentales dignos de figurar en una autobiografía suelen transcurrir semanas y hasta meses en los que no sucede nada digno de ser contado. Y a la hora de escribir conviene saltarse estos períodos de calma, para que las hojas de los libros no resulten tan insípidas como las de las alcachofas.

Como me había prometido el gordito cachondo, quedó totalmente aclarado que yo no tuve concomitancias con el muerto, y nadie volvió a molestarme. Supe por Gabino que aquella misma noche el médico forense se había llevado el cadáver para hacerle la autopsia.

Todo el mundo sabe que hacer la autopsia a un cadáver quiere decir, hablando mal y pronto, hacerle la puñeta con nombre científico. La operación consiste en rajar al interfecto por todas partes, para hurgarle todas las tripas habidas y por haber en busca de las causas de su muerte.

—¿Tenía cara de bestia el forense que vino? —pregunté al conserje cuando me lo contó.

—Pues sí, un poco —me contestó—. ¿Cómo lo sabe?

—Por simple deducción —dije parodiando el lenguaje del inspector—. Porque muy bestia hay que ser para dudar de qué había muerto ese pobre huésped.

—En efecto —me dio la razón el prostático.

—Comprendo —continué— que se haga la autopsia a un cadáver que aparece enterito y sin ningún golpe o agujero por la parte exterior. Pero a un interfecto que se le encuentra con una pistola disparada en la mano, con la tapa de los sesos levantada y los sesos desparramados por la alfombra...

—Estoy de acuerdo con usted —dijo Gabino—. También a mí me pareció una bestialidad que le hicieran la autopsia a un suicida cuyos sesos saltaban a la vista, y así se lo comuniqué al médico:

»—Pero ¿no ve usted a la primera ojeada que un balazo le hizo polvo la sesera?

Repuesta de las diversas emociones que sufrí en tan pocas horas, reanudé mi vida normal. El año nuevo me trajo una pena imprevista: la disolución de mi sociedad con Gaudencia. Ella regresó después de las fiestas; pero no para quedarse conmigo en Madrid, sino para recoger sus cosas y marcharse con un señor a Valdepeñas.

—Le conocí en Uretra —me explicó mientras vaciaba todo el contenido de su armario en la maleta.

—Querrás decir en Utrera —rectifiqué.

—No, hija. Sé que Utrera existe, e incluso que es un pueblo de bastante importancia. Pero yo me refiero a Uretra, que es una aldehuela manchega en la que se ha instalado mi madre desde que nuestro pueblo desapareció bajo las aguas del nuevo embalse. Se llama así porque la cruza un arroyo de cauce tan estrecho y aguas tan amarillentas, que hace pensar en ese conducto fisiológico. Allí trabé conocimiento con don Carmelo, que había ido a comprar vino al por mayor en la comarca. Y lo trabé tan bien trabado, que me voy a vivir con él. Es un hombre algo mayor, pero muy rico. Trabaja en Valdepeñas.

—Si tiene que trabajar —objeté—, no debe de ser tan rico.

—Lo es, porque su profesión es muy lucrativa.

—Me extraña —seguí dudando—. Las profesiones en España no dan para enriquecerse.

—La de él, sí.

—¿Cuál es?

—Aguador.

—¿Cómo puedes decir que su profesión es muy lucrativa —me extrañé—, cuando todo el mundo sabe que el oficio de aguador es uno de los más modestos que existen?

—Tal como lo ejerce don Carmelo, no. Porque él compra en gran escala el vino de toda la región, y lo revende después de aguarlo convenientemente. Y así logra duplicar el capital invertido, ¿comprendes?

—Sí. Pero a ese individuo yo no le llamaría aguador, sino estafador a secas.

—Pues estás equivocada, porque tiene fama de ser el aguador más decente de todo el país. Mientras otros desaprensivos le echan al vino agua corriente, él emplea aguas de primera calidad.

Me callé. Porque Gau estaba tan satisfecha de su conquista, que no quise empañar su satisfacción. Además, bastante mojado estaba ya don Carmelo por su oficio de aguador, para que encima yo le echara un jarro de agua fría.

—¿Y qué sabes de la gente que vivió en nuestro pueblo sumergido? —pregunté para cambiar de conversación.

—Toda se desparramó en distintas direcciones. En Uretra, aparte de mi madre, se ha instalado otro de nuestros paisanos: ¿te acuerdas del dueño de aquella taberna llamada «Vinos»? Pues ha abierto allí un establecimiento similar, con el mismo nombre.

—Ese tío nunca tuvo mucha imaginación —dije, para añadir acto seguido con algo de nostalgia—: ¿Y no supiste nada de doña Ricarda?

—¿Quién era doña Ricarda?

—Mi madre, leñe —expliqué—. Vivía en un «bungaló» del que llamábamos «barrio de las latas».

—¡Ah, sí! —recordó Gau—. Ultimamente se la beneficiaba un viajante de artículos de limpieza, ¿verdad?

—¡Oye, oye! —me enfadé—. Cuidadito con la lengua, que mi madre no es una de nosotras. Ese viajante la pretendía, que no es igual.

—Perdona, chica —se excusó mi amiga—. Pero como la pretendió tanto tiempo... Ya sabes que a fuerza de pretender, se acaba por conseguir. Y supuse que la había conseguido, puesto que vivían juntos sin haberse casado. Pero quizá me equivoque.

—Pues te equivocas —insistí—. Porque mi madre es una viuda tan inconsolable, que guarda fidelidad eterna

191

a la memoria de su difunto marido. Y aunque viva con quien viva, jamás romperá la promesa que hizo de no volver a casarse. De manera que suprime los comentarios ofensivos y contesta a mi pregunta: ¿has sabido algo de ella?

—Pues sí. Pasó por Uretra en la furgoneta del viajante, y se detuvo a visitar a mi madre. Le dijo que el dinero que recibió por la expropiación del «bungaló», se lo había dado al viajante para convertirse en su socia. Pensaba modernizar el negocio.

—¿Modernizarlo? ¿Cómo?

—En vez de escobas, iban a vender aspiradoras.

—¿Y no dijeron dónde pensaban establecerse? —pregunté.

—No. Por lo visto, aún no lo habían decidido. Pero no creo que te importe mucho saberlo. Al fin y al cabo, desde que tu madre te echó de su casa, no has vuelto a verla ni a llevarte bien con ella.

—Pero una madre —eché mano de un tópico que suena bien, aunque en el fondo no quiere decir nada— siempre es una madre. Y puesto que la tengo, me gustaría saber dónde está. Porque tenerla y no poder localizarla es como tener, no una madre, sino un tío en Alcalá.

—¿Y qué te importa? —dijo Gaudencia, mientras terminaba de hacer su equipaje—. ¿Acaso quieres a tu madre?

—A una madre hay que quererla siempre.

—Eso dicen, pero a mí me parece una pamplina. No podemos querer a una persona por obligación, simplemente por el hecho de que esa persona haya participado en nuestra venida al mundo. Si de veras fuese natural querer a nuestros padres por el hecho de serlo, ese cariño nacería en nosotros naturalmente y no nos lo tendrían que inculcar. ¿Te acuerdas de lo pesada que se ponía la maestra en la escuela para meternos en la cabeza eso de «honrar padre y madre»?

—Sí —recordé—. Y también el cura solía repetirlo en sus sermones.

—Pues a mí, por si fuera poco, me lo machacaba también mi padre. Como era sacristán, consideraba un deber repetir todo lo que decía el cura. Ese machacamiento prueba que si el amor filial no lo llevamos en la sangre y tenemos que aprenderlo, es porque lo imponen como otro deber de los muchos que tenemos que acatar para vivir en este mundo. Pero lo lógico es que queramos a nuestros padres en la misma proporción que ellos me quisieron bastante a mí. Pero ¿crees que si me hubieran tratado a puntapiés me sentiría obligada a quererlos? ¡Ni hablar! ¿Qué razón habría para darles cariño si ellos sólo me hubiesen dado patadas?

—La de pensar que ellos, a pesar de todo, te dieron la vida.

—¡Vamos, anda! —rechazó Gau—. La vida nos la da Dios. Nuestros padres no son más que simples intermediarios, que se prestan a mediar el asunto a cambio del placer que experimentan. De manera que lo justo es agradecerle a Dios el haber venido al mundo, y a nuestros padres la ayuda que nos prestaron para que nos quedáramos en él. Todo lo demás son prejuicios, tontunas, y sacar las cosas de quicio.

Creo que con estas ideas, duras pero claras, Gaudencia me hizo mucho bien. Porque cauterizaron para siempre una herida que tuve abierta desde niña en el fondo de mi alma: la del amor filial no correspondido.

Cuando mi amiga terminó de recoger sus cosas y se fue, estuve mucho rato rumiando sus palabras. Bien mirado, tenía razón: ¿por qué seguir sufriendo por los desaires y la indiferencia de mi madre? Si yo representaba tan poco para ella como un huevo para la gallina que lo pone, ella debía representar tan poco para mí como para el huevo la gallina que lo puso.

Cuando a fuerza de repetirme este razonamiento llegué a digerirlo y transformarlo en una convicción, se me quitó un peso de encima. Me sentí entonces más ligera. Más libre. Y más sola también. Porque hay pesos que acompañan mucho, aunque resulten pesados de llevar.

PEDAZO 31

AL MARCHARSE LA GAUDENCIA, vino a hacerme compañía «la Neura». Y pasé una temporada desastrosa, porque «la Neura» es una compañera fatal. Yo la conozco bien, debido a que viene a visitarme con frecuencia en mis momentos de depresión. Por eso la llamo familiarmente «la Neura», aunque su nombre completo es Neurastenia.

Pese a que mi salud mental ha sido siempre tan buena como la física, confieso que tengo una pequeña chaladura que sólo me da cuando estoy deprimida: la de imaginarme a «la Neura», cuando viene junto a mí, como si fuera una persona.

Me la imagino fea, como es natural, flaca y probablemente estéril. Digo probablemente, pues su aspecto es tan repulsivo que no me figuro a ningún hombre capaz de hacer la prueba necesaria para comprobar su posible fecundidad. Porque, ¿quién es el guapo que se acuesta con una tiparraca que, según mi imaginación, tiene menos pelvis que un bailarín flamenco y casi tanto bigote como un carabinero?

Cuando me entra «la Neura» en la soledad de mi habitación, lo primero que hace es poner un visillo gris en la ventana. Y todo lo que a la luz del sol veía de color rosa, empiezo a verlo de un agobiante color plomizo.

En aquellos meses, «la Neura» me hizo ver lo que había sido de mi vida hasta entonces. Y a la vista de aquel balance, llegué a la conclusión de que yo era una fracasada de nacimiento.

Porque mi primer fracaso fue nacer «en un lugar de la Mancha», de cuyo nombre ya no vale la pena de que me acuerde puesto que ha dejado de existir, gestada en un vientre pobretón fecundado por un paria.

Tampoco puedo decir que mi infancia fuera un éxito, ya que no tuve más juguetes que algún perro vagabundo al que tiré piedras, y algunos botes de conservas vacíos a los que di puntapiés.

Fracasé también en el terreno laboral, pues no puede decirse que encontrara colocaciones brillantes y de gran porvenir; ni que los oficios que aprendí fueran precisamente carreras especiales: monaguillo, chacha, deshonrada, niñera, camarera, modelo... Y cuando harta de tanta miseria tomé la heroica decisión de tirar por la calle de en medio, debí de equivocar el itinerario y tiré por una callejuela adyacente. Porque a la vista de los resultados obtenidos hasta entonces, ¿qué beneficios le había sacado a mi heroicidad?: cuatro perras en el bolsillo, cuatro trapos en el armario, y un vacío absoluto en el corazón.

«La Neura» me dijo para mis adentros:

«¿Y para esto has tenido que aguantar tantas guarrerías? Tú pensabas que "la calle de en medio" era un atajo para llegar a un lujoso barrio residencial, y resulta que después de dar muchos rodeos sólo has llegado a una modesta residencia. ¡Menuda decepción! Si llegas a sospecharlo, puede que hubieras intentado seguir siendo la señorita Mapi, con su apellido y todo, en lugar de haberte convertido en una anónima Fulana de Tal. ¿Verdad que sí?»

Pero yo me rebelaba contra el pensamiento de aquella tía odiosa y respondía que no; que yo tenía fe en el camino que elegí, y que estaba segura de que me llevaría a alguna parte.

—¡Te llevará a la mierda! —me replicaba la neurastenia, oscureciendo su visillo gris para que yo lo viera todo negro—. Porque no sabes sacarle provecho a tu trabajo. Eres cumplidora, eso sí, pero no tienes «gancho». Tú cumples, cobras y se acabó. Has tomado el oficio como un fin, y no como un medio. Las que tienen «gancho», lo utilizan para enganchar a los hombres y que no se les escapen. Fíjate en Gaudencia, y en Tere, y en tantas otras que has ido conociendo: todas acaban enganchando a un tipo que las saca de apuros para siempre; o al menos para una larga temporada.

»Tú en cambio, infelizota, sólo pescas pececillos insignificantes que se te escapan por los agujeros de tus redes. ¿Por qué no aprendes de tus compañeras y atrapas un pez gordo? Pues por una razón muy sencilla: porque lo mismo que fracasaste en tus oficios anteriores, has fracasado en éste también. Convéncete de que sólo eres una pobre estúpida, y de que sólo vales para pasar un rato contigo.

Pero yo era joven aún para dejarme vencer y convencerme tan fácilmente. Y batallé contra «la Neura», decidida a demostrarle que también yo era capaz de triunfar como mis amigas.

Para esta batalla, reforcé mi armamento natural con armas nuevas: un lápiz negro y un sostén del mismo color. El lápiz para los ojos, y el sostén para las ya se sabe. Tanto Tere como Gaudencia habían usado ambas cosas; y el óptimo resultado que obtuvieron atrapando sendos ricachones, me animó a incorporarlas a mis pertrechos de guerra.

De una guerra cuyo objetivo fundamental había cambiado también. Porque ya no iba a consistir en breves escaramuzas nocturnas con distintos enemigos, sino en una gran batalla contra un enemigo único. Y al contrario que en las batallas corrientes, mi victoria sería una retirada: conseguir que el enemigo me retirase de la circulación, y me pusiera un piso para disfrutarme en exclusiva.

Pintada y sostenida con los nuevos elementos, me dispuse a entrar en combate. Era mi ofensiva de primavera y la nueva estación, con sus efluvios o como se llamen, había disipado momentáneamente mi neurastenia.

Sintiéndome estratega, pensé que para aquella batalla de gran estilo era necesario variar de táctica. Yo había leído en la peluquería, único sitio donde leo mientras me tiñen o me cogen chufos, algo sobre «la hora hache». Según los militares, que tienen la obligación de entender de guerras porque les pagan para organizarlas, saber elegir la hora de empezar una batalla es fundamental para ganarla. Parece que no, pero leyendo siempre se aprende algo.

Siguiendo este consejo, que debe de ser cierto porque los militares siempre tienen razón, varié mi «hora hache» habitual, que solía ser a partir de la medianoche, y la adelanté a ese momento en que se toma el aperitivo antes de cenar.

Cambié también el campo de operaciones, sustituyendo el «Buterflí» por el «Señorial».

Ambos cambios tenían por objeto encontrar un enemigo digno de darle la batalla. Porque antes de la cena y en un bar elegante, pueden encontrarse clientes más distinguidos y rentables que en una «buát» o un «cabaré» después de cenar. A medida que avanza la noche y se acerca la madrugada, los hombres buscan con urgencia planes inmediatos de corta duración. Pero el «ligue» duradero hay que amarrarlo en ambientes más sosegados, con tiempo por delante y entre fulanos que no les urja llevarte a la cama precipitadamente.

Esa clase de clientela madura y adinerada, con deseos todavía de tener amiguitas jóvenes y con fortuna suficiente para pagarlas, era la que frecuentaba el «Señorial». A este bar sólo iba la gente bien. Bien provista de dinero, quiero decir; porque un simple vaso de «vermú» solo, sin más alivio para su soledad que un chorrito de sifón, costaba tres durazos.

«Así es la vida —pensé al saber este precio fabuloso—: con el dinero que gasta un rico en un aperitivo para abrirse el apetito, un pobre podría comprar comida suficiente para cerrárselo.»

Este bar era nuevo y lo acababan de inaugurar. Estaba decorado con un lujo que ríete tú de los palacios. A mí me recordó uno cualquiera de los salones que vi cuando fuimos a acostarnos con el rey Mohama, pero en mejor. Porque además de tener alfombras por el suelo y por las paredes, tenía muchos cuernos.

A mí, la verdad, nunca me han gustado las cornamentas como elemento decorativo, pues siempre parecen una alusión molesta al dueño de la casa o a sus visitantes. Pero la gente es por lo visto menos quisquillosa que yo, y exhibe sus cuernos en cualquier parte sin ponerse colorada.

También me llamó mucho la atención que los camareros del «Señorial» iban vestidos así como de novios, con esos chaquetones largos que tienen colas por detrás. Todos eran muy finos y, al preguntarme lo que deseaba tomar, doblaban el espinazo ante mí como si yo fuera una princesa.

Yo me daba mucha importancia y pedía un «chinfís», por ser el único nombre de bebida extranjera que se me había pegado a la oreja. Y pedir en un sitio tan fino una copa de anís, que es la bebida que a mí me chifla, daba mucha vergüenza.

De nueve a diez y media de la noche, el «Señorial» se abarrotaba como un vagón del «metro» en hora punta. Pero de gente bien vestida y limpia, que no olía mal.

Predominaban las personas ya mayores, de lo cual me alegré porque los niñatos arman mucho ruido, pero dejan pocas nueces.

Como aquel sitio era formal y su público muy bien educado, los primeros «chinfises» tuve que pagármelos yo porque nadie se acercaba a invitarme. Allí no iban chicas de mi clase en plan de alterne, y nadie abordaba a una señorita sin que mediase una presentación previa. Por eso, cuando los parroquianos del bar me vieron sola en una mesa, pensaron que estaría esperando a alguien y no les pareció correcto acercarse a llamarme chatorra ni cosas por el estilo.

Pero no me desanimé; porque en una revista agrícola que había en el vestíbulo de la residencia, leí que para recoger hay que sembrar. Y volví varios días consecutivos, a la misma hora y a la misma mesa, para tomarme mi «chinfís» en la más completa soledad.

PEDAZO 32

AQUELLA SIEMBRA, como yo había calculado, no tardó en fructificar.

El primer fruto que obtuve fue un calvorota muy majo, que vestía en estilo juvenil aunque mejor le hubiera sentado el estilo carcamal. Parroquiano asiduo del establecimiento en esa hora tumultuosa del aperitivo nocturno, se sentaba solo también en una mesita próxima a la mía. Y no tardó en darse cuenta de mi permanente soledad.

Bueno, sí tardó, pues yo me había atizado media docena de «chinfises» por mi cuenta en otros tantos días anteriores. Pero al cumplirse la semana de observación, después de dedicarme algunas sonrisas a las que correspondí discretamente, me mandó a un camarero con el encargo de preguntarme si le permitiría invitarme a una copa.

Yo acepté frotándome las manos de alegría por debajo de la mesa, pues el calvorota reunía en su aspecto las condiciones requeridas para ser el objetivo de mi batalla. Porque yo no iba buscando un príncipe azul, sino un caballo blanco.

La aceptación por mi parte del trago que me ofrecía, le permitió venir a sentarse junto a mí.

—Ha logrado usted despertar mi curiosidad —me dijo agachándose a besarme la mano, movimiento que puso su calva a la altura de mis ojos permitiéndome observarla en todo su esplendor.

—¿Por qué? —dije yo parpadeando mucho, para que el tío sucumbiera bajo mis miradas cargadas de «rímel».

—Desde que vino aquí el primer día —me contestó—, estoy tratando de descifrar el misterio de su soledad. ¿Cómo es posible que una criatura tan encantadora no venga rodeada por su corte de admiradores?

—Pues ya ve, hijo: cosas.

Mi respuesta, dentro de la vulgaridad de mi lenguaje poco cultivado aún, resultó bastante enigmática. Y sirvió para intrigar más al distinguido individuo. Que por cierto tenía una facha imponente. No fijándose mucho en la zona pelada de su calva, que por otra parte podía disimularse sin dificultad tapándola con una boina o solideo de obispo, el resto de su anatomía era muy aceptable. De pie resultaba más alto que sentado. Y no es un chiste, sino una verdad debida a que tenía las piernas muy largas y el tronco muy corto.

Calculé que el calvorota andaría rondando el medio siglo; edad en la que los hombres empiezan a agrietarse, y en la que la mujer ya es una ruina completa. Pero esa vida sanísima que proporciona el ocio de la riqueza, hecha a base de cacerías en los cotos ajenos y de paseos por las fincas propias, le conservaba estupendamente. Tenía la piel de un interesante color oliváceo, coloreada a medias por los baños de sol y los arrechuchos del hígado. Y tenía también, sobre la nariz, la señal rojiza dejada por el pesado puente de unas grandes gafas, que debía de llevar con frecuencia, pero que él se quitaba en público por coquetería.

Cuando rompimos el hielo dándole al «chinfís» que habíamos pedido unos cuantos «chinfinazos», me dijo que se llamaba Pepe y que era vizconde.

—¡Vamos, ande! —comenté echándolo a broma.

—¿No me cree?

—Lo de que se llame Pepe, sí. Pero lo de ser vizconde, nanai.

—Tiene usted una forma de expresarse encantadora. Resulta tan espontánea, tan popular...

—Gracias, majete.

—¿Y por qué le parece que no puedo ser vizconde?

—¿Cómo va usted a serlo llamándose Pepe y siendo tan campechano? —dije, aduladora.

Y le expliqué a continuación la idea que yo tenía entonces de los aristócratas:

Para mí todos debían llamarse nombres compuestos, tales como Juan Gustavo, Luis Felipe o Carlos Antonio. Tenían que ser también muy seriotes, andar con la barbilla ligeramente levantada y llevar coronitas bordadas en la ropa.

Pepe se echó a reír al escuchar mi versión de la casta a que él pertenecía, y sacó un pañuelo del bolsillo para taparse la boca. Porque la gente fina, lo mismo cuando tose que cuando estornuda o se ríe, hace eso para no mojar con salivillas a los que están a su alrededor. Y cuando se le calmó la risa, antes de volver el pañuelo al bolsillo me lo enseñó:

—Fíjese en esto —dijo, mostrándome una esquina de la tela.

Al mirar el sitio que me indicaba, vi una cosita verde que al principio me pareció un moco pegado. Pero fijándome mejor, observé que era la pequeña corona bordada.

—¡Jo...! —empecé a exclamar, logrando cortar a tiempo el «¡joroba!» o el «¡jolín!» completo, que habría causado pésima impresión a tan noble oyente—. ¡Pues es verdad!

—Claro que lo es —subrayó él—. Y aunque no me ciña a su versión de la aristocracia en lo tocante a seriedad y posición de la barbilla al andar, en lo demás encajo perfectamente: aunque todo el mundo me llama Pepe, mi nombre es Alejandro José; y coronitas como esta que ha visto en el pañuelo, las llevo hasta en los pijamas.

—¿Es posible?

—Si lo duda, tendré mucho gusto en enseñárselas.

—¡Por Dios, vizconde! —dije conteniendo la respiración para ponerme un poco colorada.

—No me llame vizconde, por favor —me suplicó dándome tres amistosas palmaditas en una rodilla.

—Es que Alejandro José me resulta un poco largo.

—Llámeme Pepe a secas, como mis amigos íntimos. Aunque aún no lo seamos, espero que con el tiempo intimaremos. ¿Qué opina usted?

—Que pare usted el carro, Pepe —repliqué poniéndome seria—, porque va demasiado de prisa.

Pero mi seriedad exterior era fingida, porque por dentro estaba estallando de alegría. Gracias a mi estrategia, había encontrado al hombre que anduve buscando para dar mi batalla. Aquella batalla cuya fase final, si yo vencía, iba a consistir en mi retirada a un pisito confortable. Y como todas las mujeres somos tan caritativas, pensé sin poder contenerme:

«¡Cómo rabiarán mis amiguitas cuando vean que el caballo blanco que he trincado, además de rico y bastante guapo, es un "pura sangre azul"!»

Y decidida a que no se me escapara, acepté cuando Pepe me propuso que cenáramos juntos.

En la puerta del «Señorial», del que salimos bajo un chaparrón de miradas curiosas que nos lanzó toda la clientela, estaba esperándonos el coche de Pepe. ¡Qué cochazo, madre mía! Era tan largo como esos que usan los personajes oficiales para que sus esposas vayan al cine y sus niños al colegio.

El vizconde no se privaba de nada y tenía también un chófer uniformado, que nos abrió la portezuela con la gorra en la mano. Cuando montamos, el chófer se puso la gorra y fue a sentarse al volante para conducir.

—Vamos al «Danubio», Paco —ordenó Pepe.

—Bien, señor vizconde —dijo el chófer, poniendo en marcha aquella locomotora con ruedas de goma.

«¡Menuda vidorra voy a pegarme si engancho a este noble bruto!», pensé repantigándome en el asiento, que era tan ancho como un sofá.

Durante el trayecto, el noble demostró que no era tan bruto. Estuvo muy comedido y no me echó mano a un muslo, como suelen hacer la mayoría de los fulanos en cuanto te montan en un coche.

Me preguntó si podía explicarle la razón de mi intrigante soledad en el bar. Y yo le contesté con este pensamiento que no era original mío, pero que me pareció muy profundo:

—Más vale estar sola que mal acompañada.

—Su respuesta confirma la opinión que me formé de usted en cuanto la vi —comentó él.

«¡Arrea! —pensé yo—. A lo mejor he metido la pata en algo, y este tío me ha calado.»

—¿Qué idea se había formado? —dije en voz alta con cierto temor.

—Que era usted una mujer inteligente e interesante.

—Agradecida, chato —dije con un suspiro de alivio al ver que mis temores eran infundados. Y añadí para corresponder a su piropo—: También usted me pareció desde el primer momento un señor muy bien educado.

Cuando llegamos, el chófer se precipitó a abrirnos la portezuela para que bajáramos. Era la primera vez que veía a un chófer tomarse tantas molestias para hacer una cosa tan tonta, pues todas las portezuelas del coche tenían picaportes por fuera y por dentro. ¿Por qué se molestaba, si aquellos picaportes eran tan fáciles de manejar como los que tienen los taxis? ¿Y cuándo se ha visto que un taxista se moleste cada vez que alguien monta en su coche o se apea de él?

Después de meditar un rato el asunto, llegué a esta conclusión: «O este chófer es idiota, o cree que soy una palurda que no ha ido nunca en coche».

Y le miré con cierta rabia al apearme.

PEDAZO 33

PERO LA RABIA SE ME PASÓ en cuanto vi al chófer, porque era un mozo muy guapo y el uniforme le favorecía horrores. Tenía los ojos muy grandes, el pelo rizado, y un tipo tan impresionante que me impresionó.

¡Caramba con Paco! ¡Pero si aquello, más que un chófer, parecía un galán de cine!

Al fijarse en que yo le estaba mirando, Paco bajó los ojos respetuosamente para que su señorito no pensara que se estaba timando conmigo.

—Vuelva a recogernos dentro de hora y media —le ordenó Pepe.

—Bien, señor vizconde —dijo aquel monumento con gorra, inclinándose.

—Guapo chico, ¿eh? —comentó Pepe cuando entrábamos en el restaurante.

—¿Quién? —le pregunté haciéndome la tonta.

—Mi chófer.

—No me he fijado —mentí.

—Pues él sí se ha fijado en usted —replicó el noble, riendo—. Durante todo el trayecto la estuvo observando por el espejo retrovisor. Estoy seguro de que tiene celos.

—¿Celos? —reí yo también—. ¿De qué podría tenerlos?

—De que una mujer tan encantadora cene conmigo, mientras él tiene que quedarse en la calle solo.

—¡Bah! —me encogí de hombros, para demostrarle el desprecio que me causaban los sentimientos de su criado.

El «Danubio», nombre que como todo el mundo sabe proviene de un famoso vals, era uno de esos sitios lujosos donde no se come por menos de cien duros por barba. Y lo malo es que en esos sitios, pese al precio astronómico que se paga por la comida, nunca se sabe lo que se come en realidad. Porque los platos que se piden vienen adornados con tantos lujos, que pierden por completo la forma y el sabor originales.

Yo, por ejemplo, pedí un pez frito y un filete a la plancha. Y me trajeron dos guisos tan trabajados por las especias y salsejas, que me los comí sin saber cuál de ellos era el pez y cuál el filete.

Dejando aparte este inconveniente, reconozco que el local era bastante más agradable que todas las tascas que yo solía frecuentar. Y más divertido también, porque entre las mesas circulaban varios camareros empujando carritos con comestibles de varias clases. Y yo, la verdad, era la primera vez que veía pasear a los quesos y a los entremeses como si fueran bebés.

Por otra parte, me divertía también viendo cómo todo el mundo saludaba a mi acompañante. Aquel vizconde debía de ser más conocido que «la Chelito» en su época.

—¡Hola, Pepe! —le decían desde todas las mesas.

Y en cuanto se fijaban en mí, añadían:

—¡Caramba con Pepe!

Por lo visto, al «Danubio» aquel iba toda la gente importante de Madrid. Porque la gente importante no puede quedarse ni un minuto en su casa: necesita estar en danza todo el santo día, recorriendo un largo «vía crucis» de sitios para lucirse.

Yo no sé muy bien en qué consiste la importancia de esa gente, pero la compadezco. ¡La de «cóteles» que se tiene que tragar y la de guisos raros que se tiene que comer! Así está la pobre de estropeada. Todos los aristócratas que conocían a Pepe, tenían una pinta de pachuchos que daba pena. Y las señoras, «ídem»; como dicen los que hablan la lengua de los curas. La noblota que no era gorda, era fea y reseca como un sarmiento. A mí me pareció que esa casta de sangre azul estaba pidiendo a gritos un buen chorro de sangre roja, para que se le quitara su aspecto enfermizo y le salieran buenos colores en los carrillos. Y como si alguna virtud tiene mi lengua es la de no ser peluda, le conté mi parecer a Pepe.

El simpático calvorota, en vez de enfadarse por lo que yo opinaba de sus empingorotados congéneres, se puso a reír como un descosido. Yo veía de reojo que la gente nos miraba desde todas las mesas circundantes, pero al cachondo del vizconde le traía sin cuidado. Era evidente que conmigo lo estaba pasando bomba y que yo lo tenía, si no en el bote, al menos a punto de entrar en él.

Dándome cuenta de que todo lo que yo le contaba le hacía gracia, me aticé varios lingotazos de vino para darme desparpajo. Y lo conseguí en seguida, porque estábamos bebiendo un tintorro muy denso que pegaba lo suyo. Según nos dijo el tío que nos lo sirvió, era de la cosecha de 1897.

(Sin duda aquel año habían comprado demasiadas botellas de ese tinto, y aún estaban tratando de largar el sobrante. Me sorprendió que el vizconde, que no había escatimado en la elección de la comida, se mostrara tan tacaño en la bebida encargando un vino tan barato. Supongo que por ser tan viejo, lo venderían a precio de saldo para deshacerse de él. Pero me callé y me lo bebí. Y al contrario de lo que yo esperaba, lo encontré muy potable. Yo creía que me sabría a vinagre, y me supo a gloria. Nunca en mi vida he vuelto a catar un tintorro como aquél: recuerdo que de puro vieja la botella no se tenía de pie, y tuvieron que traerla acostada en una cestita.)

—¿Pues sabe lo que le digo? —comenté cuando al quinto trago empezó a entrarme el desparpajo—. Que a los vinos les pasa lo contrario que a los hombres. A medida que envejecen, en vez de debilitarse, se hacen más machos y pegan con más fuerza.

Cuando terminamos de cenar, nuestras relaciones iban lo que suele decirse viento en popa. Aunque en este caso sería más propio decir «viento en copa», ya que gracias al vino fue acortándose la distancia que nos separaba. El primer acortamiento lo inicié yo, proponiendo al vizconde que nos tuteáramos.

—Hablarse de usted —le dije— me suena a lenguaje de instancia en papel de barba. Las frases suenan rimbombantes, y parece que llevan una póliza de dos cincuenta.

—Tienes razón —estuvo de acuerdo él. Y para iniciar el tuteo, me soltó la misma tontería que todos los hombres ya maduros sueltan invariablemente a todas las chicas—: Al fin y al cabo, yo podría ser tu padre.

Tontería a la que yo contesté con la misma que todas las chicas sueltan en estos casos a los hombres maduros:

—Pero, afortunadamente, no lo eres.

La segunda etapa de nuestro acercamiento fue iniciada por Pepe, que arrimó su silla a la mía para reducir a menos de la mitad la distancia que nos separaba.

La alusión a su edad paternal hizo que nuestra charla derivara hacia el tema familiar, y me pidió que le hablase de mis padres. Pero yo, para hacerme la interesante, lancé un suspirito mientras decía:

—Por favor, Pepe: no quieras abrir de nuevo una vieja herida, que ya está a punto de cicatrizar.

Por su gran calidad literaria, salta a la vista que esta frase no se me ocurrió a mí. La había leído en la peluquería, en una de esas revistas para la mujer que publican novelitas amorosas entre una receta para preparar el besugo al horno, y unos patrones para cortar una blusa. Pero me pareció una frase tan preciosa, que me la aprendí de memoria para soltarla en cualquier ocasión. Y mira por dónde la ocasión se me presentó aquella noche, pues la frasecita me vino como anillo al dedo para correr un tupido velo sobre mis nada presentables padres. Porque un sitio para cada cosa, y cada cosa en su sitio. Y ni el «Danubio» ni los oídos del vizconde eran los sitios más adecuados para colocar las historias de un albañil despanzurrado por un avión, y la de su viuda liada con un vendedor de escobas.

Pepe, como es natural, no quiso abrir aquella «vieja herida» que yo me inventé para esconder en ella a mis progenitores. Pero estoy segura de que aquel misterio inventado aumentó el interés que iba sintiendo por mí. Porque los hombres, aunque ellos lo nieguen, son tan curiosos como nosotras; y nada les abre tanto el apetito emocional como una mujer misteriosa.

Ya avanzada la sobremesa, cuando el vizconde me estaba contando que era soltero y sin compromiso, se acercó el «metre» a decirle que el coche ya había llegado y le estaba esperando.

—Paco es puntual como un reloj —comentó Pepe—. Le dije que viniera a recogernos dentro de hora y media, y no se ha retrasado ni un segundo. Debería ser suizo en lugar de manchego.

—¿Es manchego? —repetí, interesada—. ¡Qué casualidad! También yo nací en la Mancha.

—Pues por lo visto —me piropeó el noble mirándome intensamente—, en esa región se dan como hongos las criaturas excepcionales. Porque Paco también lo es. Nunca tuve un chófer tan bueno, tan leal y cumplidor como él.

—Parece un chico estupendo, en efecto —estuve de acuerdo con Pepe, acordándome de lo guapísimo que era Paco.

—Conmigo se porta de maravilla, y me ha pagado con creces todo lo que hice por él a raíz de su tragedia.

Quise conocer la tragedia de aquel paisano mío tan guapetón, y el vizconde me la contó. La recuerdo muy bien, porque quedé profundamente impresionada al oírla.

PEDAZO 34

HE AQUÍ LO QUE LE HABÍA ocurrido al pobre Paco:

Como todas las carreras, la que el muchacho eligió tenía varios peldaños hasta alcanzar la cumbre. El chófer empieza conduciendo un modesto «motocarro» cargado de trastos para tirar, y acaba llevando una flamante ambulancia llena de vidas que salvar.

Paco empezó también en uno de esos triciclos con motor que yo llamo «flatos», porque van llenando las calles de pedos ruidosos. Pero como el chico tenía mucha disposición para el volante, ascendió con rapidez: del «flato» pasó a la furgoneta, de la furgoneta al coche particular, y del coche particular a la ambulancia.

Para este último puesto supremo, tan importante para un chófer como el de embajador para un diplomático tuvo que pasar unos exámenes tan duros como unas oposiciones. Y al fin ganó esta plaza, con la que sueñan todos los chóferes del mundo.

Es natural que dicha plaza sea un sueño, porque el chófer de ambulancia es el único volantista privilegiado que no respeta ese Código que hay para circular por las calles. Sólo a él le está permitido cruzar los semáforos con luz roja, meterse por las direcciones prohibidas y tener prioridad de paso en todos los cruces.

Sólo él puede rodar a contramano, desobedecer a los guardias de la porra y violar la campaña del silencio tocando cuando se le antoja una sirena atronadora.

Para él no hay velocidad límite, ni discos de aparcamiento prohibido, ni zona azul, ni ninguna de esas coñas que incordian al que tiene un permiso de conducir. Por eso Paco se sintió muy orgulloso cuando tomó posesión de su destino en el Hospital Provincial.

El día de su «debú» estrenaba dos cosas: un uniforme blanco con la condecoración de una cruz carmesí, y una ambulancia blanca también con cromados relucientes. Él estaba reventando de satisfacción dentro de ambas cosas, deseando lucirse. Y la ocasión de lucimiento le llegó a media mañana, con la primera llamada urgente que recibió el hospital:

—Vaya a la Calle del Perro, número diez. Recoja allí un caso de peritonitis aguda. Es urgentísimo.

Paco hizo funcionar la sirena, y su ambulancia salió como un cohete a cumplir la orden. En una docena de minutos, ya estaba en las afueras de Madrid. Porque la Calle del Perro no se encontraba junto a la de San Bernardo, como parece lo lógico, sino en una nueva «barriada-satélite» construida en el extrarradio. (Yo supongo que a estas barriadas se las llama «satélite» por las vueltas que hay que dar para llegar hasta ellas.)

La barriada se llamaba de San Francisco. Y en honor de aquel santo, cuyo «jobi» eran los bichos, todas sus calles llevaban el nombre de algún animal: junto a una que se llamaba «de la Serpiente», había otra llamada «del Lagarto, Lagarto». Y lo más lejos posible de la «del Gato», para evitar peleas, estaba la «del Perro».

En el número diez de esta calle, Paco cargó en la ambulancia el caso de peritonitis que le habían mandado recoger. El «caso» era una señora relativamente gorda, que temblaba como un flan cuando la instalaron dentro del vehículo. Pero el temblor no se lo producía la peritonitis, sino el miedo a morir de aquel arrechucho.

—¡Ay, Virgen Santísima! —gritaba la tía sin parar, con una voz quejumbrosa, que ponía la carne de gallina—. ¡Que me muero!... ¡De prisa, chófer!... ¡Que me estoy muriendo a chorros!... ¡Ay!... ¡Que me muero!...

A nadie puede extrañarle que Paco, con estas lamentaciones ininterrumpidas, fuera poniéndose cada vez más nervioso. A nadie puede extrañarle tampoco que siendo su «debú» como transportista de pachuchos en estado grave, sus nervios le hicieran cometer errores. El primero de la serie fue dar un topetazo a un carrito de helados, que no se sabe por qué circulan por la calzada: lo suyo sería ir por las aceras, ya que esos chismes no tienen motor; ni pueden considerarse tampoco de tracción animal, aunque a veces el heladero que los conduce sea bastante bestia.

A consecuencia del golpe el carrito volcó, derramándose su mercancía por todo el asfalto. Paco, naturalmente, no se detuvo a colaborar en la recogida del helado caído, pues la individua del peritoneo averiado seguía aullando a sus espaldas:

—¡Que me muero, por todos los Santos!... ¡Corra, chófer!... ¡Que me muero, leñe!...

Como a estos aullidos se sumaba el de la sirena, el muchacho estaba a punto de perder la chaveta y siguió cometiendo errores.

Pero su error garrafal fue el último, que se produjo en un cruce al confundir el pedal del freno con el del acelerador. Esta confusión originó el chafamiento de cuatro morros. A saber:

El morro de la ambulancia.

El morro del coche contra el cual chocó.

Y los morros de los conductores de ambos vehículos.

Pero el más fuerte de estos morrones, lo recibió el que los había provocado: Paco. Y a consecuencia de él, perdió el conocimiento.

Lo recobró una hora después, en una cama del hospital al que pertenecía la ambulancia. Notó que seguía teniendo algo sobre la cabeza. Pero no era una gorra, sino una venda. Notó también que tenía la cara hinchada, y que a su lado había un médico mirándole con severidad.

—¿Dónde estoy? —preguntó Paco.

—Todavía, en el Hospital Provincial —le dijo el médico—. Pero en cuanto se reponga, estará usted en la calle. Queda despedido.

—¿Por qué? —balbució Paco, que al despejársele la niebla de su inconsciencia había reconocido en el médico al director del hospital.

—¿Y aún se atreve a preguntarlo? —bramó el jefazo, montando en cólera—. ¡Pues va usted a saberlo, amiguito! Y espero que cuando lo sepa, conseguiré lo que no consiguió el tortazo que se ha dado: que se le caiga la cara de vergüenza.

No llegó a producirse esta caída que esperaba el director. Pero cuando Paco supo lo ocurrido, su cara enrojeció de tal modo que estuvo a punto de perderla por abrasamiento.

Y no era para menos.

Como el choque que Paco provocó se produjo en un sitio solitario de las afueras, nadie había acudido a socorrer a las víctimas. Y como a resultas de la colisión los conductores de ambos vehículos quedaron fuera de combate, ¡tuvo que sentarse al volante de la ambulancia, para llegar hasta el hospital, la enferma de peritonitis!

Sólo de imaginar aquella llegada, transformado en víctima por su torpeza y conducido por la enferma que había ido a recoger, le entraban a Paco unos ataques tremendos de depresión. A consecuencia de aquel fracaso profesional sufrió un complejo que estuvo a punto de truncar su carrera, pues en cuanto cogía un volante se echaba a llorar.

Gracias al vizconde, que le había tomado a su servicio cuando el chico andaba por ahí, sin trabajo y hecho un guiñapo, se había curado poco a poco de su acomplejamiento. Y a fuerza de abollar aletas y parachoques a los coches de Alejandro José, volvió a ser un chófer experto.

La historia de Paco me conmovió. Comprendí que, no sólo rehuyera timarse conmigo, sino que todas sus atenciones fueran para el señor que le había devuelto la fe en sí mismo. Admiré a Pepe por la generosidad que había demostrado ayudando a Paco, y decidí entregarme a él aquella misma noche para darle ocasión de que fuera también generoso conmigo.

PEDAZO 35

PERO COMO EL VIZCONDE era un hombre bien educado, aquella primera noche se limitó a un tanteo para conocer el terreno que pisaba. No sabía él que mi terreno era propicio a los avances fulminantes.

Yo me resigné a que, a la salida del «Danubio», me ofreciera llevarme en su coche a mi casa. En el fondo era mejor así, pues eso demostraba que no me creía facilona. Y semejante creencia podría permitirme sacarle más tajada a mi entrega: los hombres son tan estúpidos, que se muestran más espléndidos con las estrechas que hacen algunos dengues a la hora de la verdad.

Cuando Paco detuvo el cochazo frente a la residencia, lamenté que no estuviera en la puerta el conserje prostático o alguno de los huéspedes, para verme llegar. Porque fue una llegada de película: primero el chófer abriéndome la portezuela ceremoniosamente para que yo me apeara, después el aristócrata apeándose detrás de mí para besarme la mano y darme las buenas noches...

Sólo me lucí ante el sereno de la calle, que se detuvo en la esquina a presenciar el espectáculo con la boca abierta. Debí de parecerle la Cenicienta del cuento en persona, cuando cazó por fin al príncipe después de todo aquel jaleo del zapato. Porque tan alelado se quedó viendo la escena, que a punto estuve de tener que ir a darle las palmadas en la cara para que me abriese el portal.

Durante toda la semana siguiente, salí con Pepe un día sí y otro también.

Me llevó a almorzar a un sitio donde la gente fina jugaba al «gol», juego que a mí me pareció que tendría algo que ver con el fútbol. Pero no. El «gol» o como se diga, pues yo lo escribo tal como suena, consiste también en darle a una pelota; pero el tamaño de la pelota que se usa en este deporte, es mucho más pequeño que un balón. Viene a ser, mal comparado, como una canica muy gorda. Y los zurriagazos para moverla de un lado para otro no se le atizan con el pie, sino con unos palos muy cómicos que tienen al final una curiosa cachiporra.

Me llevó también a cenar a otro sitio donde la gente menos fina, pero también importante, jugaba al frontón. Otro juego que, como casi todos, hay que jugarlo a base de pelotas. Pero a mí me parece que el frontón es más fácil de aprender que el «gol», porque no consiste en meter una pelotita en un agujero muy chiquitín, sino en estrellarla contra una pared. Y como la pared es enorme, resulta imposible fallar.

Aparte de estos sitios, el noble calvorota me paseó por los lugares de más postín, donde se reunían las personas con una alcurnia así de gorda:

Restaurantes donde servían langostinos, ostras, caviares y otros bicharracos carísimos.

«Naiclús» donde cada consumición valía lo que una juerga completa; y en los que actuaban esas «atracciones internacionales» que dan vueltas como una noria por todos los «naiclús» del mundo, haciendo siempre los mismos números.

«Tablaos» flamencos donde los artistas daban más patadas al suelo en una sola noche que los futbolistas en todo el Campeonato de Liga...

Y en todas partes, la gente intercambiaba codazos y sonrisitas al vernos juntos. Aunque no soy buena observadora, me pareció que los hombres miraban con envidia a Pepe por ir conmigo, y que las mujeres me envidiaban a mí por viceversa. Pero al vizconde no sólo no le importaba que nos viesen juntos, sino que elegía los sitios más visibles para lucirme. Y cuando nos tropezábamos con alguna de sus numerosas amistades, me presentaba sin avergonzarse de mí.

«Buen síntoma —pensé—. Eso indica que ya lo tengo en el bote.»

Yo me sentía feliz pegándome aquella vidorra aristocrática, y engordé un par de kilos con todas aquellas comilonas.

No llegué a enamorarme de Pepe, porque los calvorotas metidos en años no han sido nunca mi tipo, pero sentía por él mucho afecto. Tanto, que dejé de fijarme en su estupendo chófer y llegué a impacientarme por no ser requerida para que me acostara con él. Porque yo estaba deseando convertirme de verdad en lo que todo el mundo pensaba que yo era: la amiga oficial del vizconde. (Nunca fui tan optimista, en el fondo, como para aspirar seriamente a ser su novia formal; plaza que si algún día llegaba a cubrirse, la cubriría alguna señoritinga de su misma casta.) Pero supe disimular mis acuciantes deseos para conseguir mis propósitos, ya que no es lo mismo engatusar a un fulano, para sacarle unos duros a cambio de un rato, que liarse para un rato largo con un noble llamado Alejandro José.

Mi impaciencia no duró mucho tiempo, pues en la segunda semana de salir juntos me hizo esa proposición tan anhelada.

Recuerdo que estábamos en un «tablao» flamenco que se llamaba «La cueva de Alí Babá». Recuerdo también que el nombre le iba muy bien al sitio, porque el dueño se llamaba Alí y sus camareros eran los cuarenta ladrones: por una copa de jerez cobraban cien pesetas, y el cliente ni siquiera tenía derecho a llevarse la copa. Recuerdo asimismo que Pepe acababa de pagar una cuenta de dos mil pesetas, lo cual permite calcular que nos habíamos tomado entre los dos una veintena de copas. Y teniendo en cuenta que él bebió mucho más que yo, porque a mí los jereces en general me producen ardor de estómago y me ponen el hígado a la funerala, es lógico que el aristócrata estuviera achispado y dicharachero.

—Habrás observado, Mapi querida —me dijo con la lengua algo estropajosa—, que me encuentro muy a gusto a tu lado. Eres una chica encantadora, y me gustaría... me gustaría...

Se atascó y tuve que ayudarle dándole un empujoncito, como a las agujas de los gramófonos cuando se atascan en un disco.

—¿Qué es lo que te gustaría, Pepe? —dije mirándole insinuante, entornando los ojos y entreabriendo los labios.

—Pues... que vinieras a mi casa esta noche.

—¿Para qué?

—Para... que charlemos. Porque esta situación me resulta insostenible. Yo te necesito, ¿comprendes?

—Sí, Pepe: te comprendo —dije arrimándome a él.

—Entonces, ¿vendrás?

Moví la cabeza afirmativamente y él se puso muy contento.

Era ya tarde cuando salimos del local. Dentro sólo quedaban esos parroquianos que pueden violar las horas límites de cierre, porque son peces tan gordos que nadie se atreve a hincarles el diente. Fuera estaba Paco, esperándonos con el cochazo.

—Vamos a casa —le ordenó el vizconde cuando nos abrió la portezuela.

—Bien, señor. Pero antes pasaremos a dejar a la señorita, como de costumbre —dijo el chófer, respetuoso.

—No, Paco —le rectificó Pepe—: vamos a casa directamente.

Me pareció que el servidor miraba a su amo con extrañeza, como si pensara que había bebido más de la cuenta, pero no dijo nada. Volvió a ocupar su sitio en el volante, y puso el coche en marcha para cumplir la orden del vizconde.

Yo estaba contentísima por dentro. La reacción de Paco me indicaba que Pepe no tenía costumbre de llevar mujeres a su casa. Y el hecho de que hiciera una excepción aquella noche para llevarme a mí, era un síntoma estupendo. Equivalía a darme entrada oficialmente en su vida privada.

¡Al fin iba a conseguir mi retirada victoriosa, convirtiéndome en la querida de un «pura sangre azul»! Y quién sabe si con el tiempo me convertiría en algo más importante aún, puesto que el vizconde era soltero y estaba coladito por mí...

Sí, no me avergüenza confesarlo: hasta en eso llegué a pensar en aquel momento de euforia. ¡Hasta en la posibilidad de casarme con Pepe y convertirme en vizcondesa!

¿Por qué no? Más de una vez el cuento de la Cenicienta se ha hecho realidad. Y como soñar no cuesta nada, fui soñando durante todo el trayecto que iba en la carroza de mi príncipe calvorota, hacia su palacio.

Y un palacio me pareció la casa de Pepe, en cuyo portal entramos con coche y todo. Paco apretó un botón que había en una de las paredes, y se encendieron dos faroles que sostenían dos cáscaras metálicas de soldados antiguos. Entre estas dos cáscaras (que según Nati se llaman armadura y yo lo creo, pues estuvo liada mucho tiempo con un militar), había una gran puerta por la que entramos al interior de la casa. Como era tarde y los criados ya estarían durmiendo, Paco se adelantó al entrar para encender las luces.

—¡Caramba! —exclamé maravillada cuando las encendió—. ¡Bonita chabola tienes, ladrón!

No tuve tiempo de pulir mi entusiasmo espontáneo elaborando una exclamación más fina, porque la sorpresa que experimenté me hizo soltar lo primero que se me ocurrió. Aquello, más que una casa particular, parecía un museo de esos que se paga para verlos.

En las paredes había retratos hechos a pincel del modelo más caro, pues eran de cuerpo entero. Nada de cabezas, ni de bustos, ni de otros trucos que se hacen para economizar tela y pinturas: allí los tipos retratados estaban a su tamaño natural, sin que les faltara ni un solo pedazo. Puede que aquellos cuadros ya no valieran mucho, porque estaban muy viejos y descoloridos, pero los marcos debían de valer una fortuna, pues eran todos de oro.

Había también alfombras, butacas, lámparas, y hasta un asombroso cacharro junto a la puerta de entrada para dejar bastones y paraguas.

Pepe me condujo a un sillón de terciopelo que parecía un trono, y me invitó a sentarme diciendo:

—Ponte cómoda.

Me senté. Y me sentí tan cohibida entre todas aquellas obras de arte, que ni siquiera me apresuré a quitarme los zapatos. Porque yo, en cuanto entro en la casa de un amigo y me invita a ponerme cómoda, lo primero que hago es descalzarme para descansar de los malditos tacones. Pero allí en aquel ambiente tan refinado e impresionante, no pegaban esas expansiones.

—¿Quieres beber algo? —siguió diciéndome el vizconde cuando estuve sentada.

—Bueno —acepté—. No me vendría mal, porque te confieso que estoy un poco nerviosa.

—¿Por qué?

—Un poco por todo —hice un esfuerzo para explicarme—: por esta casa con tanta bambolla... por todos esos tíos medievales que me miran desde los retratos... por ti...

—Por mí no tienes nada que temer —me tranquilizó poniéndome una mano en un hombro.

Y volviéndose a Paco, que se había quedado en un

rincón esperando órdenes, le dijo:

—Una copa y una botella de anís.

—¿Cómo sabes que me gusta el anís? —le pregunté mientras el chófer abrió un mueble muy antiguo por fuera, que resultó ser un bar muy moderno por dentro.

—Un hombre de mundo —contestó el vizconde— debe adivinar los gustos de las personas que le interesan.

—Eres tan finolis —le dije conmovida por el detalle—, que a tu lado me siento una gamberra.

Paco dejó la copa y el anís en una mesita al alcance de mi mano, y se fue discretamente por un pasillo que había al fondo del salón.

—Y ahora —dijo el vizconde cuando nos quedamos solos—, considérate como en tu propia casa. Bebe todo el anís que quieras. Si te apetece fumar, en todas las cajas que veas encima de las mesas hay cigarrillos. Y si prefieres oír música, ese mueble negro es un tocadiscos. Espérame aquí. Vuelvo en seguida.

«Todos los hombres son iguales —pensé mientras Pepe salía—. Todos dicen las mismas cosas, poco más o menos, cuando van a desnudarse y prepararse para hacer el amor.»

PEDAZO 36

MIENTRAS ESPERABA, observé que en una esquina del salón había un sofá muy amplio y apropiado para ciertos menesteres. Y fui a sentarme en él para ganar tiempo, después de echarme al coleto dos copazos de anís.

«¡Al fin lo conseguiste! —me dije muy contenta—. Ha picado bien el calvorota, y ya me encargaré yo de que no suelte el anzuelo. Procuraré que esta noche quede muy satisfecho de mis servicios, para que no me considere un capricho pasajero, sino una necesidad permanente.»

Con el fin de conseguir este objetivo, eché un vistazo a mi alrededor. Era importante crear la atmósfera adecuada para nuestro primer contacto. El detalle de la ambientación es secundario cuando el hombre con el cual va una a acostarse tiene instintos primarios. Pero a medida que el macho asciende por la escala intelectual, sus exigencias en esta materia van en aumento. ¡Si lo sabré yo, que he dormido en todos los peldaños de esta escala, desde el rústico pajar al refinado «somier»!

Calculé por lo tanto que, dada la cultura y distinción del vizconde, debía de ser muy exigente en materia de ambiente. Y revisé con cuidado el escenario, para que no se me escapara ni el más insignificante de los detalles: mullí bien los cojines del sofá, encendí las luces precisas y apagué las superfluas hasta conseguir una grata penumbra... (Esto de la penumbra es esencial tratándose de hombres ya maduros y con las lógicas deformidades propias de la edad, pues les azora exhibir a plena luz sus antiestéticas barrigas y sus rugosos pellejos.)

Recordé entonces que la música, en algunos casos, estimula ciertas funciones de los espíritus selectos. Porque hay espíritus selectos que son la mar de raros.

En vista de lo cual, decidí poner un poco de música en el tocadiscos. Después de revolver un montón de «microsurcos» que había junto al mueble, elegí un solo de violín compuesto por un húngaro. Yo creo que el violín es el más afrodisíaco de todos los instrumentos, pues al oírlo en la cama se tiene la sensación de que alguien nos está cosquilleando todo el cuerpo. A mí al menos me pone la carne de gallina hasta tal punto, que hasta me entran ganas de poner un huevo.

Gradué la intensidad del sonido hasta lograr lo que podría llamarse una «penumbra sonora». Para que la música resulte cosquilleante debe tener el grado justo de suavidad. Luego me coloqué sobre el sofá, en una postura muy «sexy». Estas posturas se consiguen fundamentalmente a base de un cruzamiento de piernas que amplíe el habitual campo de visibilidad permitido por la falda. Si al mismo tiempo se echa la cabeza para atrás y se entornan los ojos, miel sobre hojuelas.

Terminados estos preparativos, reforcé la postura «sexy» con una actitud provocativa para esperar a Pepe.

«Hará una entrada de película —me imaginé—, con bata y pañuelo de seda al cuello.»

Pero el disco se acabó sin que Pepe hubiera entrado.

«Estará lavándose bien para venir limpito —deduje levantándome a poner de nuevo la aguja al principio de la música—. Como los aristócratas son tan pulcros y atildados, puede que esté tomando un baño.»

Me aticé un nuevo latigazo de anís, y volví al sofá a seguir esperando. Pero el disco terminó por segunda vez, sin que el vizconde se hubiera presentado. Me levanté de nuevo a seleccionar una música distinta, porque aquella murga del húngaro ya empezaba a aburrirme. Y aprovechando que ya estaba levantada, me acerqué al arranque del pasillo que conducía a otras habitaciones de la casa.

—¡Pepe! —llamé flojito desde allí, pues no quería escandalizar.

Pero nadie me contestó. El pasillo estaba iluminado débilmente por un aplique que había en una de sus paredes, a cuya luz pude ver varias puertas a ambos lados.

—¡Pepe! —repetí un poquitín más fuerte.

Tampoco esta vez obtuve respuesta, en vista de lo cual me adentré por el pasillo para buscarle. Entraba dentro de lo posible que se hubiera quedado dormido a consecuencia de las copas que se bebió en «La cueva de

Alí Babá», en cuyo caso yo me encargaría de despabilarlo con algunos arrumacos para hacerle cumplir con su deber. Faltándome tan poco para conseguir la victoria, no era cosa de renunciar a ella porque a mi contrincante le hubiese entrado sueño en el último asalto.

—¿Pepe? —volví a llamar en tono interrogativo, avanzando unos cuantos pasos.

Me detuve a escuchar, y sólo oí a mis espaldas la música del disco que puse en el salón. Luego avancé resueltamente por el pasillo, cuya alfombra absorbía el ruido de mis pisadas, hasta doblar el primer recodo.

Allí empezaba una zona de sombra, pues la luz del aplique colocado en la pared moría donde el pasillo doblaba. Ya estaba a punto de repetir mi llamada por cuarta vez y a gritos, pues había empezado a inquietarme, cuando en el trozo de pasillo a oscuras observé una rendija iluminada debajo de una puerta. Al mismo tiempo terminó el disco en el salón, y en el silencio que se produjo oí voces detrás de aquella puerta. Voces que me sonaron un poco raras y me movieron a acercarme para escuchar.

Esta rareza que creí advertir se aclaró en cuanto puse la oreja sobre la madera de la puerta, pues entonces me di cuenta de que una de las voces pertenecía a alguien que lloraba. Pero aquel llanto resultaba extraño: no era agudo como los que solemos emitir las mujeres y los niños, sino mucho más grave y desconcertante.

Me esforcé en adivinar de qué clase de garganta podían salir unos gimoteos tan broncos, y antes de que yo lo adivinara la voz de Pepe me lo aclaró:

—Por favor, Paquito —le oí decir—: no sigas llorando, que me estás poniendo más nervioso que un flan.

—¡La culpa es tuya! —lloriqueó la voz de Paco en tono quejumbroso.

—Te aseguro que te equivocas.

—No me equivoco, no. Me haces sufrir porque ya no me quieres.

—Tú sí que me haces sufrir a mí con tus celos ridículos —se enfurruñó la voz de Pepe.

—¿Ridículos? ¡Pero si salta a la vista que has dejado de quererme, ingrato! Y yo sé la razón: te estás pasando a la acera de enfrente.

—¡Cuidadito con lo que dices, hermoso! —levantó

la voz el vizconde, muy ofendido—. ¿Quieres que te arañe y te tire del pelo?

—Lo digo y lo repito. ¿Te imaginas que soy tonto y no me he fijado en cómo miras a esa hija de Satanás?

—Pero ¿cuántas veces voy a tener que repetirte que me exhibo con ella para eso precisamente: para que la gente crea que me gustan las mujeres y no sospeche lo nuestro? No es la primera tapadera que me busco, ¿verdad?

—No —admitió la voz de Paco—. Pero de las anteriores nunca estuve celoso, porque eran lesbianas. A ésta en cambio le gustan los tíos, y a lo mejor te enreda.

—¿Enredarme a mí? —oí reír a Pepe—. Pero ¡si no vale ni la décima parte que tú, guapo! ¿Por qué crees que la he elegido?

—Eso es lo que yo me pregunto —gruñó la voz de Paco.

—Pues la elegí porque no vale nada, y porque es la más inofensiva de todas las que encontré.

—¿Inofensiva dices, y se te arrima a cada momento como un esparadrapo?

—Pero me deja frío. ¿No te has dado cuenta de que sólo es una putita insignificante? Aunque la pobre trate de disimularlo dándose aires de señoritinga, se ve a la legua. No hay más que fijarse en su forma de vestir y en las cosas que dice al hablar. ¡Suelta cada ordinariez!...

—Eso me pareció a mí siempre: una guarra.

—Yo la calé en cuanto la vi —prosiguió Pepe—, y me dije: «He aquí la tapadera que Paquito y yo necesitamos: una putita vistosa y barata, a la que pasearé para cubrir las apariencias».

—Pero ¿le has dicho ya a ella tus intenciones?

—Para eso la traje aquí esta noche. Hasta hoy la estuve probando a ver si nos servía, y creo que sí. Como además de tonta tiene aspecto de ser lo que es, todo el que nos vio juntos pensó que me acostaba con ella. Porque con las putitas sólo se va para eso. Y nosotros podremos seguir siendo felices sin que nadie murmure. En este país estamos tan atrasados todavía que dos hombres no pueden ser novios sin que los critiquen.

—¿Y tú crees que ella aceptará el papel de tapadera?

—¡Pues claro, hijito! ¿No has visto que es una muerta de hambre? Como saliendo conmigo comerá caliente y le daré algún dinero, estará encantada. Ya lo verás.

—Pues vete a decírselo ahora mismo —exigió Paco—, no sea que te haya tomado por un macho y se esté haciendo ilusiones. Estaré más tranquilo cuando esa lagartona sepa que tú eres mío nada más.

—Está bien, bonito, ya voy —accedió Pepe—. Pero toma mi pañuelo y sécate esos lagrimones. ¡Si supieras lo feísimo que te pones cuando lloras!...

PEDAZO 37

No oí NI UNA PALABRA MÁS, porque eché a correr. Antes de que aquel mariconazo abriera la puerta, ya había yo retrocedido por el pasillo hasta el salón. Y en un abrir y cerrar de ojos, salí de aquella casa maldita.

Recuerdo vagamente que estaba amaneciendo. La cara me ardía, como si acabaran de darme un par de bofetadas. Mientras iba andando por las calles desiertas, sentí asco y ganas de vomitar. Las náuseas eran como manos peludas y repulsivas que me apretujaban el estómago.

«Estás pasando —me dije— una enfermedad completamente nueva para ti: la humillación.»

Ese vientecillo fresco que recorre las calles anunciando la salida del sol, como un pregonero, no era capaz de apagar el ardor de mis mejillas. Debía de estar coloradísima.

«Es curioso —pensé tocándome la cara roja como un tomate—: lo que no logró la vergüenza en toda mi vida, lo ha logrado la humillación en un momento.»

Anduve cerca de una hora en línea recta, sin saber dónde estaba ni adónde iba. Mis tacones rompían el silencio de la madrugada, lo mismo que el teclear de una sola máquina de escribir en una inmensa oficina vacía. Por el cielo se iba extendiendo una claridad blancuzca, dándome la sensación de que una fregona madrugadora lo estaba fregando con agua jabonosa.

Unas manzanas más lejos me crucé con un camión de recoger basuras, y me sorprendió que no se detuviera para recogerme a mí.

«¿Eres acaso algo más que una basura?», susurró dentro de mí una voz odiosa.

Allí estaba de nuevo «la Neura», aprovechándose de mi solitaria desesperación para hacerme compañía. Pero esta vez no tuve fuerzas para quitármela de encima, y la llevé a cuestas durante todo el camino.

«Has fracasado una vez más —me dijo ella—. Lograste llegar por fin a un lujoso barrio residencial, y tuviste que abandonarlo humillada y vencida. ¿Recuerdas lo que te llamaron los maricas? Claro que sí, porque fue un insulto que no olvidarás nunca: ¡putita barata! Qué horror, ¿verdad? Y sin embargo, ¿no es eso lo que eres en realidad? ¿Cuándo te darás cuenta de que no eres una mujer para toda la vida, sino una chica para pasar el rato?»

La Neurastenia siguió pinchándome a lo largo de tres manzanas más. Yo estaba demasiado cansada de todo para discutir con ella.

Cuando fui a cruzar la calle siguiente, tuve que detenerme en el bordillo de la acera para dejar pasar a un coche que venía por la calzada.

Pero el coche, al llegar frente a mí, frenó en seco.

—Si busca un taxi, yo voy libre —me dijo el conductor asomando la cabeza por la ventanilla.

Eché una mirada al coche, para comprobar si era efectivamente un taxi. Luego, abrí la portezuela y monté.

—¿Adónde vamos? —me preguntó el conductor.

—Si tú quieres —le respondí—, a pasar un rato juntos.

Porque el coche, según comprobé antes de montar, no era un taxi. Y yo, según estaba escrito en mi destino, seguiría siendo siempre una Fulana de Tal.

(Bruselas, invierno de 1964.
Madrid, primavera de 1965.)